ARGENTINA:
AÑOS DE ALAMBRADAS CULTURALES

JULIO CORTÁZAR

ARGENTINA:
AÑOS DE ALAMBRADAS CULTURALES

Edición a cargo de Saúl Yurkievich

Muchnik Editores

© Julio Cortázar
© 1984 Muchnik Editores, S. A.
   Ronda General Mitre, 162,
   08006 Barcelona

Cubierta: Mario Muchnik

Depósito legal: B. 27.631 - 1984
ISBN: 84-85501-63-2

Impreso en España
Printed in Spain

Aunque ya lo sabía de sobra, me bastó volver a la Argentina poco después de las elecciones para verificar los estragos que la censura y la información deformada y deformante habían operado en el pensamiento de millones de ciudadanos. Cualquier charla espontánea con lustrabotas, taxistas, periodistas, estudiantes, mozos de café, dueñas y dueños de casa, ferreteros, maestros e intelectuales, encontrados al azar de caminatas o atajado por muchos de ellos en plena calle para pedirme una opinión o un autógrafo, me ratificó los efectos de ese gigantesco colador que hoy explica la mentalidad de una gran parte de nuestro pueblo. Un colador por cuyos agujeros pasó durante un decenio lo que convenía que pasara, mientras el resto se quedaba en gran parte del otro lado —llámese información fidedigna o aportaciones culturales y políticas—. Y si la utilidad de todo colador consiste en que lo aprovechemos del buen lado, el que montó el sistema militar funcionó deliberadamente al revés, con lo cual al hombre de la calle (y de tantas casas y casitas) le tocó beberse el agua tibia de los espaguetis, mientras éstos quedaban del otro lado y fuera de su alcance.[1]

Hoy que la voluntad popular tiene la posibilidad y el deseo de recibir una información tanto actual como retrospectiva, se me ocurre que una selección de artículos que durante nueve años se quedaron del otro lado del colador,

1. En los años más negros llegué a dudar de que esto pudiera darse hasta ese extremo, pero más de una vez en que me tocó oír hablar a algún argentino que andaba por Europa (negocios o turismo), sentí con perfecta claridad que de dos cosas una: o realmente

puede ser útil para mostrar esa otra cara de la luna argentina y ayudar a llenar algunos hiatos que a veces generaron malentendidos. Del exilio se ha escrito mucho y era necesario hacerlo porque callarse equivalía a darle la mejor carta de triunfo a la junta militar, que nos quería silenciosos, amargados y nostálgicos. Pero aún más se ha escrito en el exterior sobre la tortura, los asesinatos y las desapariciones, primero porque era más importante y segundo porque en múltiples oportunidades dispusimos de una información mucho más completa que la accesible en el conjunto del país. Y también se ha reflexionado sobre el futuro a partir de la terrible lección de ese presente de nueve años. Doy por descontado que muchos libros de este tipo verán la luz en la Argentina, y reflejarán el pensamiento complementario de quienes siguieron adelante con su trabajo como tantos lo siguieron aquí, aunque les fuera casi imposible darlo a conocer. No sé cuántos textos he escrito en estos años, andan por ahí en decenas de revistas y periódicos latinoamericanos y europeos. He elegido aquellos que me parecen conservar alguna validez actual; la primera serie toca esencialmente al exilio como eje y motor de una denuncia constante de los crímenes de la junta militar; la segunda —se trata muchas veces de informes leídos en congresos, colegios universitarios y tribunales internacionales— enfrenta más directamente las obligaciones de un intelectual en este momento de la historia latinoamericana, con el acento puesto especialmente en la Argentina pero buscando también una visión global, que tan cruelmente falta en nuestro país deformado por el colador del patrioterismo, de la superioridad en cualquier terreno, y otras razones de nuestras múltiples derrotas en tantos campos.

Algunos textos son obligadamente periodísticos; otros procuran un esbozo de reflexión más abierta. Mi solo deseo

---

se bebía el agua de los espaguetis como si eso fuera la verdadera comida, o se callaba la boca ante cosas que sabía y prefería soslayar. No me referiré nunca a este tema, porque no me creo autorizado a hacerlo; teníamos otras tareas que llevar a cabo desde afuera, y algunas asomarán en estos textos.

es que el lector, si recorre el conjunto del libro, pueda acercarse a una noción más concreta y sobre todo más global de todo aquello que no le era posible abarcar en esos años de colador al revés.

Enero de 1984.

I

DEL EXILIO CON LOS OJOS ABIERTOS

El primero fue escrito hace siglos por Erasmo de Rotterdam. No recuerdo bien de qué trataba, pero su título me conmovió siempre, y hoy sé por qué: la locura merece ser elogiada cuando la razón, esa razón que tanto enorgullece al Occidente, se rompe los dientes contra una realidad que no se deja ni se dejará atrapar jamás por las frías armas de la lógica, la ciencia pura y la tecnología.

De Jean Cocteau es esta profunda intuición que muchos prefieren atribuir a su supuesta frivolidad: *Víctor Hugo era un loco que se creía Víctor Hugo.* Nada más cierto: hay que ser genial —epíteto que siempre me pareció un eufemismo razonable para explicar el grado supremo de la locura, es decir, de la ruptura de todos los lazos razonables— para escribir *Los trabajadores del mar* y *Nuestra Señora de París.* Y el día en que los plumíferos y los sicarios de la junta militar argentina echaron a rodar la calificación de «locas» para neutralizar y poner en ridículo a las Madres de la Plaza de Mayo, más les hubiera valido pensar en lo que precede, suponiendo que hubieran sido capaces, cosa harto improbable. Estúpidos como corresponde a su fauna y a sus tendencias, no se dieron cuenta de que echaban a volar una inmensa bandada de palomas que habría de cubrir los cielos del mundo con su mensaje de angustiada verdad, con su mensaje que cada día es más escuchado y más comprendido por las mujeres y los hombres libres de todos los pueblos.

Como no tengo nada de politólogo y mucho de poeta, veo el decurso de la historia como los calígrafos japoneses sus dibujos: hay una hoja de papel, que es el espacio y también el tiempo, hay un pincel que una mano deja correr brevemente para trazar signos que se enlazan, juegan consigo mismo, buscan su propia armonía y se interrumpen en el punto exacto que ellos mismos determinan. Sé muy bien que hay una dialéctica de la historia (no sería socialista si no lo creyera), pero también sé que esa dialéctica de las sociedades humanas no es un frío producto lógico como lo quisieran tantos teóricos de la historia y la política. Lo irracional, lo inesperado, la bandada de palomas, las Madres de la Plaza de Mayo, irrumpen en cualquier momento para desbaratar y trastocar los cálculos más científicos de nuestras escuelas de guerra y de seguridad nacional. Por eso no tengo miedo de sumarme a los locos cuando digo que, de una manera que hará crujir los dientes de muchos bien pensantes, la sucesión del general Viola por el general Galtieri es hoy obra evidente y triunfo significativo de ese montón de madres y de abuelas que desde hace tanto tiempo se obstinan en visitar la Plaza de Mayo por razones que nada tienen que ver con sus bellezas edilicias o la majestad más bien cenicienta de su celebrada pirámide.

En los últimos meses, la actitud cada vez más definida de una parte del pueblo argentino se ha apoyado consciente o inconscientemente en la demencial obstinación de un puñado de mujeres que reclaman explicaciones por la desaparición de sus seres queridos. La vergüenza es una fuerza que puede disimularse mucho tiempo, pero que al final estalla de las maneras más inesperadas, y ese factor no ha sido tenido jamás en cuenta por la soberbia de los militares en el poder. Que bajo la férula menos violenta de Viola esa explosión haya asumido la magnitud de una manifestación de miles y miles de argentinos en las calles céntricas de Buenos Aires, y una serie creciente de declaraciones, denuncias y peticiones en los periódicos, es una prueba de debilidad castrense que la estirpe de los Galtieri y otros halcones no podía tolerar. Ellos, por supuesto, no lo saben de manera demasiado lúcida, pero la lógica de la locura no es menos implacable que la que se estudia en el colegio militar: el corolario del teorema es que el general Galtieri debería estar reconocido a las Madres de la Plaza de Mayo, pues es sobre todo gracias a ellas que ha podido dar el zarpazo que acaba de encaramarlo en el sillón de los mandamás.

Por su parte, las madres y las abuelas que sin saberlo han facilitado su entronización, no tienen la menor idea de lo que han hecho. Muy al contrario, pues en el plano de la realidad inmediata esa sustitución de jefatura significa una profunda agravación del panorama político y social de la Argentina. Pero esa agravación es al mismo tiempo la prueba de que la copa está cada vez más colmada, y que el proceso llega a su punto de máxima tensión. Es entonces que la respuesta de esa parte de nuestro pueblo capaz de seguir teniendo vergüenza deberá entrar en acción por todas las vías posibles, y que las fuerzas del interior y del exterior del país tendrán que responder a algo que las está invitando a salir de una etapa harto explicable pero que no puede continuar sin darle la razón a quienes pretenden tenerla.

Sigamos siendo locos, madres y abuelitas de la Plaza de Mayo, gentes de pluma y de palabra, exilados de dentro y de fuera. Sigamos siendo locos, argentinos: no hay otra manera de acabar con esa razón que vocifera sus slogans de orden, disciplina y patriotismo. Sigamos lanzando las palomas de la verdadera patria a los cielos de nuestra tierra y de todo el mundo.

Lo que sigue es una tentativa de aproximación parcial a los problemas que plantea el exilio en la literatura, y a su consecuencia forzosa, la literatura del exilio. No tengo ninguna aptitud analítica; me limito aquí a una visión muy personal, que no pretendo generalizar sino exponer como simple aporte a un problema de infinitas facetas.

Hecho real y tema literario, el exilio domina en la actualidad el escenario de la literatura latinoamericana. Como hecho real, de sobra conocemos el número de escritores que han debido alejarse de sus países; como tema literario, se manifiesta obviamente en poemas, cuentos y novelas de muchos de ellos. Tema universal, desde las lamentaciones de un Ovidio o de un Dante Alighieri, el exilio es hoy una constante en la realidad y en la literatura latinoamericanas, empezando por los países del llamado Cono Sur y siguiendo por el Brasil y no pocas naciones de América Central. Esta condición anómala del escritor abarca a argentinos, chilenos, uruguayos, paraguayos, bolivianos, brasileños, nicaragüenses, salvadoreños, haitianos, dominicanos, y la lista no se detiene ahí. Por «escritor» entiendo sobre todo al novelista y al cuentista, es decir a los escritores de invención y de ficción; a la par de ellos incluyo al poeta, cuya especificidad nadie ha podido definir pero que forma cuerpo común con el cuentista y el novelista en la medida en que todos ellos juegan su juego en un territorio dominado por la analogía, las asociaciones libres, los ritmos significantes y la tendencia a expresarse a través o desde vivencias y empatías.

Al tocar el problema del escritor exilado, me incluyo actualmente entre los innumerables protagonistas de la diáspora. La diferencia está en que mi exilio sólo se ha vuelto forzoso en estos últimos años; cuando me fui de la Argentina en 1951, lo hice por mi propia voluntad y sin razones políticas o ideológicas apremiantes. Por eso, durante más de veinte años pude viajar con frecuencia a mi país, y sólo a partir de 1974 me vi obligado a considerarme como un exilado. Pero hay más y peor: al exilio que podríamos llamar físico habría de sumarse el año pasado un exilio cultural, infinitamente más penoso para un escritor que trabaja en íntima relación con un contexto nacional lingüístico; en efecto, la edición argentina de mi último libro de cuentos fue prohibida por la junta militar, que sólo la hubiera autorizado si yo condescendía a suprimir dos relatos que consideraba como lesivos para ella o para lo que ella representa como sistema de opresión y de alienación. Uno de esos relatos se refería indirectamente a la desaparición de personas en el territorio argentino; el otro tenía por tema la destrucción de la comunidad cristiana del poeta nicaragüense Ernesto Cardenal en la isla de Solentiname.

Como se ve, puedo hoy sentir el exilio desde dentro, es decir, paradójicamente, desde fuera. Años atrás, cada vez que me fue dado participar en la defensa de las víctimas de cualquiera de las dictaduras de nuestro continente, a través de organismos como el Tribunal Bertrand Russell II o la Comisión de Helsinki, no se me hubiera ocurrido situarme en el mismo plano que los exilados latinoamericanos, puesto que jamás había considerado mi lejanía del país como un exilio, y ni siquiera como un auto-exilio. Para mí al menos, la noción de exilio comporta una compulsión, y muchas veces una violencia. Un exilado es casi siempre un expulsado, y ése no era mi caso hasta hace poco. Quiero aclarar que no he sido objeto de ninguna medida oficial en ese sentido, y es muy posible que si quisiera viajar a la

Argentina podría entrar en ella sin dificultad; lo que sin duda no podría es volver a salir, aunque desde luego la junta militar no reconocería ninguna responsabilidad en lo que pudiera sucederme; es bien sabido que en la Argentina la gente desaparece sin que, oficialmente, se tenga noticia de lo que ocurre.

Así, entonces, asumiendo y viviendo la condición de exilado, quisiera hacer algunas observaciones sobre algo que tan de cerca nos toca a los escritores. Mi intención no es una autopsia sino una biopsia; mi finalidad no es la deploración sino la respuesta más activa y eficaz posible al genocidio cultural que crece de día en día en tantos países latinoamericanos. Diré más, a riesgo de rozar la utopía: creo que las condiciones están dadas entre nosotros, los escritores exilados, para superar el desarraigamiento que nos imponen las dictaduras, y devolver a nuestra manera específica el golpe que nos inflige cada nuevo exilio. Pero para ello habría que superar algunos malentendidos de raíz romántica y humanista, y, por decirlo de una vez, anacrónica, y plantear la condición del exilio en términos que superen su negatividad, a veces inevitable y terrible, pero a veces también estereotipada y esterilizante.

Hay, desde luego, el traumatismo que sigue a todo golpe, a toda herida. Un escritor exilado es en primer término una *mujer* o un *hombre* exilado, es alguien que se sabe despojado de todo lo suyo, muchas veces de una familia y en el mejor de los casos de una manera y un ritmo de vivir, un perfume del aire y un color del cielo, una costumbre de casas y de calles y de bibliotecas y de perros y de cafés con amigos y de periódicos y de músicas y de caminatas por la ciudad. El exilio es la cesación del contacto de un follaje y de una raigambre con el aire y la tierra connaturales; es como el brusco final de un amor, es como una muerte inconcebiblemente horrible porque es una muerte que se sigue viviendo conscientemente, algo como lo que

Edgar Allan Poe describió en ese relato que se llama *El entierro prematuro*.

Ese traumatismo harto comprensible determinó desde siempre y sigue determinando que un cierto número de escritores exilados ingresen en algo así como una penumbra intelectual y creadora que limita, empobrece y a veces aniquila totalmente su trabajo. Es tristemente irónico comprobar que este caso es más frecuente en los escritores jóvenes que en los veteranos, y es ahí donde las dictaduras logran mejor su propósito de destruir un pensamiento y una creación libres y combativos. A lo largo de los años he visto apagarse así muchas jóvenes estrellas en un cielo extranjero. Y hay algo aún peor, y es lo que podríamos llamar el exilio interior, puesto que la opresión, la censura y el miedo en nuestros países han aplastado «in situ» muchos jóvenes talentos cuyas primeras obras tanto prometían. Entre los años 55 y 70 yo recibía cantidad de libros y manuscritos de autores argentinos noveles, que me llenaban de esperanza; hoy no sé nada de ellos, sobre todo de los que siguen en la Argentina. Y no se trata de un proceso inevitable de selección y decantación generacional, sino de una renuncia total o parcial que abarca un número mucho mayor de escritores que el previsible dentro de condiciones normales.

También por eso resulta tristemente irónico verificar que los escritores exilados en el extranjero, sean jóvenes o veteranos, se muestran en conjunto más fecundos que aquellos a quienes las condiciones internas acorralan y hostigan, muchas veces hasta la desaparición o la muerte, como en los casos de Rodolfo Walsh y de Haroldo Conti en la Argentina. Pero en todas las formas del exilio la escritura se cumple dentro o después de experiencias traumáticas que la producción del escritor reflejará inequívocamente en la mayoría de los casos.

Frente a esa ruptura de las fuentes vitales que neutraliza o desequilibra la capacidad creadora, la reacción del escritor asume aspectos muy diferentes. Entre los exilados fuera del país, una pequeña minoría cae en el silencio, obligada muchas veces por la necesidad de reajustar su vida a condiciones y a actividades que la alejan forzosamente de la literatura como tarea esencial. Pero casi todos los otros exilados siguen escribiendo, y sus reacciones son perceptibles a través de su trabajo. Están los que casi proustianamente parten desde el exilio a una nostálgica búsqueda de la patria perdida; están los que dedican su obra a reconquistar esa patria, integrando el esfuerzo literario en la lucha política. En los dos casos, a pesar de su diferencia radical, suele advertirse una semejanza: la de ver en el exilio un disvalor, una derogación, una mutilación contra la cual se reacciona en una u otra forma. Hasta hoy no me ha sido dado leer muchos poemas, cuentos o novelas de exilados latinoamericanos en los que la condición que los determina, esa condición específica que es el exilio, sea objeto de una crítica interna que la anule como disvalor y la proyecte a un campo positivo. Se parte casi siempre de lo negativo (desde la deploración hasta el grito de rebeldía que puede surgir de ella) y apoyándose en ese mal trampolín que es un disvalor se intenta el salto hacia adelante, la recuperación de lo perdido, la derrota del enemigo y el retorno a una patria libre de déspotas y de verdugos.

Personalmente, y sabiendo que estoy en el peligroso filo de una paradoja, no creo que esta actitud con respecto al exilio dé los resultados que podría alcanzar desde otra óptica, en apariencia irracional pero que responde, si se la mira de cerca, a una *toma de realidad* perfectamente válida. Quienes exilian a los intelectuales consideran que su acto es positivo, puesto que tiene por objeto eliminar al adversario. ¿Y si los exilados optaran también por considerar como positivo ese exilio? No estoy haciendo una broma de mal gusto, porque sé que me muevo en un territorio de heridas abiertas y de irrestañables llantos. Pero sí apelo a una distanciación expresa, apoyada en esas fuerzas interiores que tantas veces han salvado al hombre del aniquilamiento total, y que se manifiestan entre otras formas a través del sentido del humor, ese humor que a lo largo de la historia de la humanidad ha servido para vehicular ideas y praxis que sin él parecerían locura o delirio. Creo que más que nunca es necesario convertir la negatividad del exilio —que confirma así el triunfo del enemigo— en una nueva toma de realidad, una realidad basada en valores y no en disvalores, una realidad que el trabajo específico del escritor puede volver positiva y eficaz, invirtiendo por completo el programa del adversario y saliéndole al frente de una manera que éste no podía imaginar.

Me referiré otra vez a mi experiencia personal: si mi exilio físico no es de ninguna manera comparable al de los escritores expulsados de sus países en los últimos años, puesto que yo me marché por decisión propia y ajusté mi vida a nuevos parámetros a lo largo de más de dos décadas, en cambio mi reciente exilio cultural, que corta de un tajo el puente que me unía a mis compatriotas en cuanto lectores y críticos de mis libros, ese exilio insoportablemente amargo para alguien que siempre escribió como argentino y amó lo argentino, no fue para mí un traumatismo negativo. Salí del golpe con el sentimiento de que ahora sí, ahora la suerte estaba verdaderamente echada, ahora tenía que ser la batalla hasta el fin. El sólo pensar en todo lo que ese exilio cultural tiene de alienante y de pauperizante para miles y miles de lectores que son mis compatriotas como lo son de tantos otros escritores cuyas obras están prohibidas en el país, me bastó para reaccionar positivamente, para volver a mi máquina de escribir y seguir adelante mi trabajo, apoyando todas las formas inteligentes de combate. Y si quienes me cerraron el acceso cultural a mi país piensan que han completado así mi exilio, se equivocan de medio a medio. En realidad me han dado una beca de *full-time,* una beca para que me consagre más que nunca a mi trabajo, puesto que mi respuesta a ese fascismo cultural es y será multiplicar mi esfuerzo junto a todos los que luchan por la liberación de mi país. Desde luego no voy a dar las gracias por una beca de esa naturaleza, pero la aprovecharé a fondo, haré del disvalor del exilio un valor de combate.

Inútil decir que no pretendo extrapolar mi reacción personal y pretender que todo escritor exilado la comparta. Simplemente creo factible invertir los polos en la noción estereotipada del exilio, que guarda aún connotaciones románticas de las que deberíamos librarnos. El hecho está ahí: nos han expulsado de nuestras patrias. ¿Por qué colocarnos en su tesitura y considerar esa expulsión como una desgracia que sólo negativamente puede determinar nuestras reacciones? ¿Por qué insistir cotidianamente en artículos y en tribunas sobre nuestra condición de exilados, subrayándola casi siempre en lo que tiene de más penoso, que es precisamente lo que buscan aquellos que nos cierran las puertas del país? Exilados, sí. Punto. Ahora hay otras cosas que escribir y que hacer; como escritores exilados, desde luego, pero con el acento en escritores. Porque nuestra verdadera eficacia está en sacar el máximo partido del exilio, aprovechar a fondo esas siniestras becas, abrir y enriquecer el horizonte mental para que cuando converja otra vez sobre lo nuestro lo haga con mayor lucidez y mayor alcance. El exilio y la tristeza van siempre de la mano, pero con la otra mano busquemos el humor: él nos ayudará a neutralizar la nostalgia y la desesperación. Las dictaduras latinoamericanas no tienen escritores sino escribas: no nos convirtamos nosotros en escribas de la amargura, del resentimiento o de la melancolía. Seamos realmente libres, y para empezar librémonos del rótulo conmiserativo y lacrimógeno que tiende a mostrarse con demasiada frecuencia. Contra la autocompasión es preferible sostener, por demencial que parezca, que los verdaderos exilados son los regímenes fascistas de nuestro continente, exilados de la auténtica realidad nacional, exilados de la justicia social, exilados de la alegría, exilados de la paz. Nosotros somos más libres y estamos más en nuestra tierra que ellos. He hablado de demencia; también ella, como el humor, es una manera de romper los moldes y abrir un camino positivo que no encontraremos jamás si seguimos plegándonos a las frías y sensatas reglas del juego del enemigo. Polonio dice de Hamlet: «Hay un método en su locura». Tiene razón, porque aplicando su método demencial Hamlet triunfa al fin; triunfa como un loco, pero jamás un cuerdo hubiera echado abajo el sistema despótico que ahoga a Dinamarca. La vida de Ofelia, de Laertes y la suya son el terrible precio de esta locura, pero Hamlet acaba con los asesinos de su padre, con el poder basado en el terror y la mentira, con la junta de su tiempo. En esa locura hay un método, y para nosotros un ejemplo. Inventemos en vez de aceptar los rótulos que nos pegan. Definámonos contra lo previsible, contra lo que se espera convencionalmente de nosotros.

Estoy seguro de que esto es posible, pero también de que nadie lo logra sin dar un paso atrás en sí mismo para verse de nuevo, para verse nuevo, para sacar por lo menos ese partido del exilio. La toma de realidad a que aludí antes no será posible sin una autocrítica que por fin y de una buena vez nos quite algunas de las vendas que nos tapan los ojos.

En ese sentido todo escritor honesto admitirá que el desarraigo conduce a esa re-visión de sí mismo. En términos compulsivos y brutales tiene el mismo efecto que en otros tiempos se buscaba en América Latina con el famoso «viaje a Europa» de nuestros abuelos y nuestros padres. Lo que ahora se da como forzado era entonces una decisión voluntaria y gozosa, era el espejismo de Europa como catalizadora de fuerzas y talentos todavía en embrión. Ese viaje de un chileno o un argentino a París, Roma o Londres era un viaje iniciático, un espaldarazo insustituible, el acceso al Santo Graal de la sapiencia de Occidente. Afortunadamente estamos saliendo más y más de esa actitud de colonizados mentales que pudo tener su justificación histórica y cultural en otros tiempos pero que el empequeñecimiento y la simultaneización del planeta ha vuelto anacrónica. Y sin embargo resta una analogía entre el maravilloso viaje cultural de antaño y la expulsión despiadada del exilio: la posibilidad de esa re-visión de nosotros mismos en tanto que escritores arrancados a nuestro medio.

Ya no se trata de aprender de Europa, puesto que incluso podemos hacerlo lejos de ella aprovechando la ubicuidad cultural que permiten los *mass media* y los *happy few media*; se trata sobre todo de indagarnos como individuos pertenecientes a pueblos latinoamericanos, de indagar por qué perdemos las batallas, por qué estamos exilados, por qué vivimos mal, por qué no sabemos ni gobernar ni echar abajo a los malos gobiernos, por qué tendemos a sobrevalorar nuestras aptitudes como máscara de nuestras ineptitudes. En vez de concentrarnos en el análisis de la idiosincrasia, la conducta y la técnica de nuestros adversarios, el primer deber del exilado debería ser el de desnudarse frente a ese terrible espejo que es la soledad de un hotel en el extranjero y allí, sin las fáciles coartadas del localismo y de la falta de términos de comparación, tratar de verse como realmente es.

Muchos lo han hecho a lo largo de estos años, incluso valiéndose de su literatura como terreno de rechazo y de reencuentro con ellos mismos. Es fácil identificar a los escritores que se han sometido a ese examen despiadado, pues la índole de su creación refleja no sólo la batalla en sí sino las nuevas inflexiones del pensamiento y de la praxis. Por un lado están los que dejan de escribir para entrar en un terreno de acción personal, y por otro los que siguen escribiendo como forma específica de acción pero ahora desde ópticas más abiertas, desde nuevos y más eficaces ángulos de tiro. En los dos casos el exilio ha sido superado como disvalor; en cambio, quienes callan para no hacer nada, o siguen escribiendo como habían escrito siempre, se vuelven igualmente ineficaces puesto que acatan el exilio como negatividad.

En la medida en que seamos capaces de esta dura crítica de todo aquello que haya podido contribuir a llevarnos al exilio, y que sería demasiado fácil e hipócrita achacar exclusivamente al adversario, prepararemos desde ahora las condiciones que nos permitan luchar contra él y retornar a la patria. Ya lo sabemos: poco pueden los escritores contra la máquina del imperialismo y el terror fascista en nuestras tierras; pero es evidente que en el curso de los últimos años la denuncia por vía literaria de esa máquina y de ese terror ha logrado un impacto creciente en los lectores del extranjero, y por consiguiente una mayor ayuda moral y práctica a los movimientos de resistencia y de lucha.

Si por un lado el periodismo honesto informa cada vez más al público en ese terreno, cosa fácilmente comprobable en Francia, a los escritores latinoamericanos en exilio les toca sensibilizar esa información, inyectarle esa insustituible corporeidad que nace de la ficción sintetizadora y simbólica, de la novela, el poema o el cuento que encarnan lo que jamás encarnarán los despachos del télex o los análisis de los especialistas. Por cosas así, claro está, las dictaduras de nuestros países temen y prohíben y queman los libros nacidos en el exilio de dentro y de fuera. Pero también eso, como el exilio en sí, debe ser valorizado por nosotros. Ese libro prohibido o quemado no era del todo bueno; escribamos ahora otro mejor.

Cuando se termina la lectura de este informe, se tiene inevitablemente la sensación de que su contenido viene a superponerse a muchos otros contenidos análogos, y que si bien se refiere a un país específico y a acontecimientos de rigurosa actualidad, al mismo tiempo está como reflejando un estado de cosas que abarca el decurso entero de la historia de los hombres y sus sociedades.

Esta sensación es la que lleva muchas veces a gentes bien pensantes a decirse aquello de que no hay nada nuevo bajo el sol, y que si bien estas cosas son lamentables, nada se gana con enfrentarlas abiertamente puesto que un ciclo de ineluctables recurrencias aplasta y aplastará entre sus engranajes a todos los que quieran entender de otra manera el mundo. Esa misma sensación de pesadilla repetitiva es la que hace que demasiada gente exhiba una intachable intransigencia ética en el limitado horizonte de los cafés o las casas de sus amigos, y viva con eso que se llama una buena conciencia puesto que todo el mundo conoce su posición democrática, su rechazo de la violencia y su odio a la opresión. (También yo fui como ellos en la primera mitad de mi vida, y defendí a la república española y a los judíos perseguidos por Hitler con una elocuencia que tal vez recuerden todavía algunos camareros de los bares de la calle Corrientes o de la Avenida de Mayo.)

Con frecuencia me ocurre encontrar en París a argentinos que vienen por razones turísticas o de negocios y que vuelven luego al país; cuando se les pregunta por cosas como las que documenta este libro, empiezan casi siempre por admitirlas (aunque para nuestra relativa sorpresa suelen saber menos que nosotros, estadísticamente hablando, puesto que las fuentes de su información son más un chorrito que una fuente, y además porque en muchos casos ya se sabe que no hay peor sordo que el que no quiere oír); cumplida esa admisión, muchos de ellos pasan a defender el punto de vista de «más vale malo por conocido que bueno por conocer». Es así cómo el tiempo y su insidiosa lima, el olvido, cuentan con cómplices incluso entre las víctimas directas o indirectas de tal estado de cosas, es así cómo poco a poco una esperanza ingenua desaloja los espectros de un pasado que se continúa sin variantes fundamentales en el presente; y es así cómo los interesados directos en ese siniestro juego de sustituciones mentales cuentan con innumerables secuaces para llevar adelante su paulatina prédica de «fin de etapa», de «paso a otra cosa», de «retorno progresivo a la normalidad».

Frente a esta doble afirmación de que nada de lo que ocurre hoy en la Argentina es nuevo con relación a la historia en su conjunto, y que en vista de ese «eterno retorno» la única actitud razonable es la de esperar tiempos mejores, se alza la voluntad inflexible de aquellos argentinos del interior o del exilio que no reconocen ninguna ley del olvido, que no aceptan una visión pesimista de la historia universal y mucho menos de la nacional, y que por todos los medios a su alcance han luchado y seguirán luchando por mostrar que nuestro futuro debe nacer desde abajo, como el trigo o las flores, y no desde lo alto de la pirámide del despotismo en la que puede ser que cuarenta siglos nos contemplen, señor Bonaparte, pero bien poco nos importan cuando lo único que cuenta para nosotros es este siglo, este día, esta hora en que respiramos y tenemos conciencia de la realidad, sabiendo a la vez que no quieren dejarnos respirar y que nos proponen una realidad de recambio donde los famosos cuarenta siglos vuelven a reconocerse y a darse la mano.

Por cosas así, este libro. Por cosas así la seguridad de que el trigo pueblo es más fuerte que las pirámides castrenses. Si el genocidio cultural es de una vigencia infame en la Argentina de hoy, la encarnizada multiplicidad de sus formas que ilustra este libro es la prueba más evidente de que no se lleva a cabo fácilmente, de que se le resiste en todos los planos, y que su fracaso está ya presente en su propia y amenazante violencia. El trigo crece en la Argentina, bajo un cielo, un sol y un viento que son otros tantos nombres de la libertad.

Pienso que todos los aquí reunidos coincidirán conmigo en que cada vez que a través de testimonios personales o de documentos tomamos contacto con la cuestión de los desaparecidos en la Argentina o en otros países sudamericanos, el sentimiento que se manifiesta casi de inmediato es el de lo diabólico. Desde luego, vivimos en una época en la que referirse al diablo parece cada vez más ingenuo o más tonto; y sin embargo es imposible enfrentar el hecho de las desapariciones sin que algo en nosotros sienta la presencia de un elemento infrahumano, de una fuerza que parece venir de las profundidades, de esos abismos donde inevitablemente la imaginación termina por situar a todos aquellos que han desaparecido. Si las cosas parecen relativamente explicables en la superficie —los propósitos, los métodos y las consecuencias de las desapariciones—, queda sin embargo un trasfondo irreductible a toda razón, a toda justificación humana; y es entonces que el sentimiento de lo diabólico se abre paso como si por un momento hubiéramos vuelto a las vivencias medievales del bien y del mal, como si a pesar de todas nuestras defensas intelectuales lo demoníaco estuviera una vez más ahí diciéndonos: «¿Ves? Existo: ahí tienes la prueba».

Pero lo diabólico, por desgracia, es en este caso humano, demasiado humano; quienes han orquestado una técnica para aplicarla mucho más allá de casos aislados y convertirla en una práctica de cuya multiplicación sistemática han dado idea las cifras publicadas a raíz de la reciente encuesta de la OEA, saben perfectamente que ese procedimiento tiene para ellos una doble ventaja: la de eliminar a un adversario real o potencial (sin hablar de los que no lo son pero que caen en la trampa por juegos del azar, de la brutalidad o del sadismo), y a la vez injertar, mediante la más monstruosa de las cirugías, la doble presencia del miedo y de la esperanza en aquellos a quienes les toca vivir la desaparición de seres queridos. Por un lado se suprime a un antagonista virtual o real; por el otro se crean las condiciones para que los parientes o amigos de las víctimas se vean obligados en muchos casos a guardar silencio como única posibilidad de salvaguardar la vida de aquellos que su corazón se niega a admitir como muertos. Si basándose en una estimación que parece estar muy por debajo de la realidad, se habla de ocho o diez mil desaparecidos en la Argentina, es fácil imaginar el número de quienes conservan todavía la esperanza de volver a verlos con vida. La extorsión moral que ello significa para estos últimos, extorsión muchas veces acompañada de la estafa lisa y llana que consiste en prometer averiguaciones positivas a cambio de dinero, es la prolongación abominable de ese estado de cosas donde nada tiene definición, donde promesas y medias palabras multiplican al infinito un panorama cotidiano lleno de siluetas crepusculares que nadie tiene la fuerza de sepultar definitivamente. Muchos de nosotros poseemos testimonios insoportables de este estado de cosas, que puede llegar incluso al nivel de los mensajes indirectos, de las llamadas telefónicas en las que se cree reconocer una voz querida que sólo pronuncia unas pocas frases para asegurar que todavía está de este lado, mientras quienes escuchan tienen que callar las preguntas más elementales por temor de que se vuelvan inmediatamente en contra del supuesto prisionero. Un diálogo real o fraguado entre el infierno y la tierra es el único alimento de esa esperanza que no quiere admitir lo que tantas evidencias negativas le están dando desde hace meses, desde hace años. Y si toda muerte humana entraña una ausencia irrevocable, ¿qué decir de esta ausencia que se sigue dando como presencia abstracta, como la obstinada negación de la ausencia final? Ese círculo faltaba en el infierno dantesco, y los supuestos gobernantes de mi país, entre otros, se han encargado de la siniestra tarea de crearlo y de poblarlo.

De esa población fantasmal, a la vez tan próxima y tan lejana, se trata en esta reunión. Por encima y por debajo de las consideraciones jurídicas, los análisis y las búsquedas normativas en el terreno del derecho interno e internacional, es de ese pueblo de las sombras que estamos hablando. En esta hora de estudio y de reflexión, destinada a crear instrumentos más eficaces en defensa de las libertades y los derechos pisoteados por las dictaduras, la presencia invisible de miles y miles de desaparecidos antecede y rebasa y continúa todo el trabajo intelectual que podamos cumplir en estas jornadas. Aquí, en esta sala donde ellos no están, donde se los evoca como una razón de trabajo, aquí hay que sentirlos presentes y próximos, sentados entre nosotros, mirándonos, hablándonos. El hecho mismo de que entre los participantes y el público haya tantos parientes y amigos de desaparecidos vuelve todavía más perceptible esa innumerable muchedumbre congregada en un silencioso testimonio, en una implacable acusación. Pero también están las voces vivas de los sobrevivientes y de los testigos, y todos los que hayan leído informes como el de la Comisión de Derechos Humanos de la OEA guardan en su memoria impresos con letras de fuego, los casos presentados como típicos, las muestras aisladas de un exterminio que ni siquiera se atreve a decir su nombre y que abarca miles y miles de casos no tan bien documentados pero igualmente monstruosos. Así, mirando tan sólo hechos aislados, ¿quién podría olvidar la desaparición de la pequeña Clara Anahí Mariani, entre la de tantos otros niños y adolescentes que vivían fuera de la historia y de la política, sin la menor responsabilidad frente a los que ahora pretenden razones de orden y de soberanía nacional para justificar sus crímenes? ¿Quién olvida el destino de Silvia Corazza de Sánchez, la joven obrera cuya niña nació en la cárcel, y a la que llevaron meses después para que entregara la criatura a su abuela antes de hacerla desaparecer definitivamente? ¿Quién olvida el alucinante testimonio sobre el campo militar «La Perla» escrito por una sobreviviente, Graciela Susana Geuna, y publicado por la Comisión Argentina de Derechos Humanos? Cito nombres al azar del recuerdo, imágenes aisladas de unas pocas lápidas en un interminable cementerio de sepultados en vida. Pero cada nombre vale por cien, por mil casos parecidos, que sólo se diferencian por los grados de la crueldad, del sadismo, de esa monstruosa voluntad de exterminación que ya nada tiene que ver con la lucha abierta y sí en cambio con el aprovechamiento de la fuerza bruta, del anonimato y de las peores tendencias humanas convertidas en el placer de la tortura y de la vejación a seres indefensos. Si de algo siento vergüenza frente a este fratricidio que se cumple en el más profundo secreto para poder negarlo después cínicamente, es que sus responsables y ejecutores son argentinos o uruguayos o chilenos, son los mismos que antes y después de cumplir su sucio trabajo salen a la superficie y se sientan en los mismos cafés, en los mismos cines donde se reúnen aquellos que hoy o mañana pueden ser sus víctimas. Lo digo sin ánimo de paradoja: Más felices son aquellos pueblos que pudieron o pueden luchar contra el terror de una ocupación extranjera. Más felices, sí, porque al menos sus verdugos vienen de otro lado, hablan otro idioma, responden a otras maneras de ser. Cuando la desaparición y la tortura son manipuladas por quienes hablan como nosotros, tienen nuestros mismos nombres y nuestras mismas escuelas, comparten costumbres y gestos, provienen del mismo suelo y de la misma historia, el abismo que se abre en nuestra conciencia y en nuestro corazón es infinitamente más hondo que cualquier palabra que pretendiera describirlo.

Pero precisamente por eso, porque en este momento tocamos fondo como jamás lo tocó nuestra historia, llena sin embargo de etapas sombrías, precisamente por eso hay que asumir de frente y sin tapujos esa realidad que muchos pretenden dar ya por terminada. Hay que mantener en un obstinado presente, con toda su sangre y su ignominia, algo que ya se está queriendo hacer entrar en el cómodo país del olvido; hay que seguir considerando como vivos a los que acaso ya no lo están pero que tenemos la obligación de reclamar, uno por uno, hasta que la respuesta muestre finalmente la verdad que hoy se pretende escamotear. Por eso este coloquio, y todo lo que podamos hacer en el plano nacional e internacional, tiene un sentido que va mucho más allá de su finalidad inmediata; el ejemplo admirable de las Madres de la Plaza de Mayo está ahí como algo que se llama dignidad, se llama libertad, y sobre todo se llama futuro.

Según las últimas noticias de Montevideo, los directores del semanario «Marcha» y los escritores Juan Carlos Onetti, Mercedes Rein y Nelson Marra siguen presos por pornógrafos. Más exactamente, el pornógrafo sería Marra, autor de un relato titulado «El guardaespaldas», que además se considera agraviante para el cuerpo de policía; sus cómplices, claro está, son los miembros del jurado que le dieron el premio patrocinado por «Marcha». Otro integrante del jurado, Jorge Ruffinelli, tuvo la buena suerte de no estar en el Uruguay el día en que los militares que pretenden gobernar ese país metieron en la cárcel a algunas de las más destacadas figuras de la literatura latinoamericana, así como al fundador y director de la revista, Carlos Quijano, y al secretario de redacción Hugo Alfaro.

La última noticia, más bien divertida, es que el gobierno del Uruguay ha emplazado al «New York Times», que había calificado de arbitrario el encarcelamiento de Onetti y sus colegas, a que publique el cuento inculpado, «para que el público norteamericano juzgue las razones que justifican la medida tomada por el Uruguay». Desde luego, sería una excelente cosa que el «New York Times» recogiera el desafío y publicara el cuento; los lectores norteamericanos, que han pasado por la escuela de Henry Miller y de Norman Mailer, no van a sonrojarse por la eventual «pornografía» de un relato que, por lo visto, presenta a un guardaespaldas homosexual que termina siendo ejecutado por los tupamaros; como si en Francia los lectores de Jean Genet o de Tony Duvert fueran a sobresaltarse por un tema que incluso comienza a fatigarlos por repetitivo.

Desde el 11 de febrero, fecha de esta escandalosa serie de detenciones, que, por lo demás, no fue más que un cómodo pretexto para liquidar a la única publicación uruguaya que, contra viento y marea, seguía defendiendo la democracia en el Uruguay, las reacciones internacionales han sido múltiples y elocuentes; elocuentes sobre todo por su total ineficacia frente a la sordera de los jerarcas castrenses uruguayos, para quienes las cartas y los cables firmados por intelectuales de todo el mundo, las asambleas de protesta y las severas apreciaciones de muchos órganos de prensa resbalan como el agua en el plumaje de un pato. Para peor, esa ineficacia es doble, pues no sólo se traduce en indiferencia por parte de quienes violan cínicamente derechos humanos elementales, sino que también se manifiesta del lado de aquellos que deberían multiplicar sus voces para denunciar el atropello. Lo sabemos: un azar insidioso se las arregla casi siempre para que una nueva guerra, un nuevo secuestro o un nuevo atentado sustituyan rápidamente las noticias de actualidad en la primera página de la memoria y de los diarios; sólo los directamente interesados (en irrisoria minoría) se esfuerzan por contrarrestar ese olvido en el que la frivolidad no está del todo ausente. En Europa, por ejemplo, la expulsión de Solzhenitsyn ya ha borrado prácticamente toda huella de lo sucedido hace menos de un mes en Montevideo; desde luego, un escritor como Juan Carlos Onetti es menos famoso aquí que su colega ruso, y pertenece a un pequeño país sin crédito político internacional. Mientras las firmas más célebres del planeta se ocupan del gran escándalo, prácticamente ninguna toma en cuenta el pequeño; sin embargo, no hay grande ni pequeño en este reiterado desprecio del poder ensoberbecido hacia los hombres libres, de las máquinas burocráticas hacia los individuos que se obstinan en pensar por su cuenta. Ya que cablegrafiar a los militares uruguayos es tan inoperante como pegarle a Carlos Monzón, sería tiempo de que encontráramos otras maneras de resistir a una barbarie que en Chile, Brasil, Paraguay, Bolivia y Uruguay forma un frente común harto más eficaz que nuestros intelectualísimos mensajes.

Me molesta tener que referirme aquí en particular a Juan Carlos Onetti, uno de los más grandes novelistas latinoamericanos de nuestro tiempo; me molesta por la misma razón que, al colaborar en un «dossier noir» sobre las atrocidades de la junta militar de Chile, me molestó citar nombres ilustres cuando todo un pueblo está sufriendo un destino parecido. Pero tal es la ley del juego, y si ignoramos los nombres de millares de obreros, de campesinos y pequeños empleados sometidos al terror de las dictaduras latinoamericanas, por lo menos nos cabe nombrarlos simbólicamente al citar a aquellos que se han destacado en algún campo de la creación o del conocimiento. Cuando digo que Juan Carlos Onetti es un motivo de orgullo para nuestro continente y para el Uruguay en particular, estoy diciendo eso y mucho más; estoy acusando a un régimen de violar instituciones y derechos nacidos de largas guerras de independencia y de incontables conflictos internos, lo estoy acusando de humillar a un pueblo generoso y democrático con una estúpida demostración de fuerza bruta y de desprecio. Y si antes afirmé que no sólo eramos ineficaces en nuestras protestas contra la dictadura, sino en nuestra incapacidad de acrecentar la unión de nuestras filas, no lo dije con despecho, sino con humildad y con vergüenza. Pero si hay una vergüenza pasiva e inútil, también hay otra capaz de movilizar incontables fuerzas y recursos para oponerse a la ignominia; la historia está llena de esas explosiones colectivas de la vergüenza. Ojalá todos los que solitariamente se lamentan hoy por lo que sucede en el Uruguay acepten mi certidumbre de que ese sentimiento debe cambiar de signo para convertirse en algo positivo, acepten que tanta vergüenza privada puede llegar a ser, si lo queremos verdaderamente, la mejor arma contra la soberbia y la prepotencia de los que ignoran que su geopolítica está condenada al fracaso en lo que bien podemos llamar el corazón planetario de la humanidad.

Paradójicamente, en momentos en que la atención mundial se concentra en el Cono Sur sangrientamente iluminado por el fuego de la guerra de las Malvinas, los verdaderos problemas de esa parte de América Latina amenazan diluirse en un pasado que no por inmediato dejará de parecer remoto a quienes no lo han vivido en carne propia o lo siguen viviendo en el exilio. La paradoja está en eso: casi todos los que miran hoy hacia el Cono Sur, sólo alcanzan a ver la cortina de humo de la guerra, sólo escuchan el nuevo vocabulario geopolítico que en América Latina suscita la alianza unánime contra la agresión británica. Ese humo de la batalla y ese vocabulario continental constituyen una fractura violenta de la historia, con todo lo que eso conlleva de bueno y de malo. Lo bueno es claro: tal vez por fin los pueblos latinoamericanos (y no sólo sus gobiernos, casi siempre movidos por otros intereses) entiendan el mensaje de Simón Bolívar y sientan que su verdadera identidad es más continental que local. Lo malo es todavía más claro, y constituye el terrible precio de lo bueno: el proceso regresivo, opresor y genocida que en el Cono Sur alcanzó su punto más alto en Argentina, y que en una maniobra de desesperado oportunismo provocada por la situación catastrófica del país en todos los planos, desencadenó la operación militar de reconquista de las Malvinas, hunde hoy en el pasado lo que debería seguir siendo presente, nuestros treinta mil desaparecidos, nuestros incontables muertos, nuestros exilados. Y por si fuera poco, abre la posibilidad de que el enemigo máximo, los Estados Unidos de América, aprovechen su alianza con Gran Bretaña para instalarse en esas Malvinas que hoy cuestan la sangre de centenares de soldados argentinos.

Bien podría ser, puesto que todo es aquí paradójico, que la reconquista de las islas Malvinas por quienes se consideran sus legítimos poseedores frente a la usurpación inglesa (esto, claro, al margen del resultado final, todavía incierto), tenga consecuencias continentales que poco les importaban a los militares argentinos cuando desembarcaron en las islas. Bien podría ser, por ejemplo, que el apoyo que ahora esperan y reciben de los países latinoamericanos anuncie a corto o largo plazo el fin de los regímenes del horror en el Cono Sur. Los que ven la historia como un acaecer regido por el absurdo, tienen hoy el mejor de los ejemplos a la vista. Pero ese absurdo del que puede surgir un futuro más positivo o una regresión a las peores tinieblas, no hará callar a quienes clamaron y claman por la verdad y la justicia después de años y años de mentira y de infamia. Hace siglos hubo alguien que creyó porque lo que creía era absurdo; en el silencio de quienes murieron o desaparecieron porque sus voces eran demasiado claras y acusadoras, otras voces seguirán alzándose, y esas voces no hablarán de islas, de soberanía, de honor y de sacrificio como quienes vociferan hoy esas palabras desde un balcón de la Plaza de Mayo después de haberlas vaciado de su sentido. Esas voces seguirán diciendo simplemente la verdad, por más absurda que parezca en esta hora en que el estruendo de la batalla pesa más que la lucidez y la reflexión. Si el deber de los exilados no es ése, su exilio es inútil; que los muertos entierren a sus muertos, amén.

Si estas palabras encuentran su camino a través de la prensa
y otros medios de información, y llegan como lo espero
a millares y millares de exilados latinoamericanos allí donde
se encuentren, quiero que su simple contenido valga como
un mensaje dirigido personalmente a cada uno de ellos;
estoy seguro de que este deseo expresará el de todos los
participantes de esta reunión.

El solo hecho de que nuestra conferencia tenga por
objeto un análisis exhaustivo del exilio tal como se presenta
actualmente en América Latina, significa de por sí una primera respuesta positiva a algo que específicamente se define
como negatividad, como carencia, como exclusión, como
despojo. Aquí aprenderemos, a través de ponencias y debates, las múltiples facetas de algo que en general se considera en términos unívocos o se sufre en un plano demasiado personal como para objetivizarlo y volverlo materia
de reflexión. Pienso que por primera vez va a enfocarse
desde tantos ángulos y tantas perspectivas una de las formas más siniestras del destino humano, y que se lo hará
precisamente para conocer mejor su realidad profunda, diag-
nosticarlo como el patólogo diagnostica los males del cuerpo,
y abrir un camino más lúcido y por lo tanto más eficaz
a nuestra respuesta y a nuestro combate de hombres libres.

Nada tengo yo de patólogo en este campo tan cruelmente variado, tan minuciosamente infernal. Desde mi territorio de inventor de ficciones asisto desde hace años al es-
pectáculo de una diáspora que tuerce, distorsiona, frustra
o metamorfosea vidas humanas en una medida y una va-

riedad que ningún esfuerzo de la ficción podría abarcar. Experiencias como las que nos ha tocado vivir a quienes participamos de los trabajos del Tribunal Bertrand Russell, para citar una de las muchas instancias donde se ha hecho oír la voz de los exilados y los perseguidos y los humillados, obligan a una definición mucho más radical que las actitudes usuales frente al exilio, quiero decir la denuncia, la protesta y la solidaridad con las víctimas. Experiencias de ese tipo, que sin duda ustedes han vivido y viven en este contexto, exigen algo más que la adhesión fraternal y la ayuda práctica. Por mi parte, y a riesgo de ofender a los ya ofendidos, o de lastimar a los ya lastimados, esa visión extrema del exilio como pura infamia y puro desprecio, me ha llevado paradójicamente a invertir totalmente su signo, a asumirlo como positividad, como un valor y no como una privación. Libre de toda capacidad lógica o científica, loco en mi incurable locura de cuentista y novelista, he sentido que solamente así, invirtiendo lo que las máquinas de la opresión y el escarnio quisieran afirmar como negatividad, será posible detener un día esa incesante hemorragia de hombres que desvitaliza nuestra América Latina.

No he sido ni soy el único en querer cambiar de signo la noción tradicional del exilio y del exilado; sé que en esta conferencia habrá muchas voces para proponer desde distintos ángulos esa vertiginosa, difícil pero absolutamente necesaria revisión del concepto de exilio, su paso de la categoría de disvalor estéril a la de valor dinámico. Más aún, el hecho mismo de que nos reunamos para indagar esta forma de la inhumanidad está probando que de la diáspora puede nacer un ágora, que la sociedad y el desarraigo de miles y miles de mujeres y de hombres latinoamericanos son superables si ayudamos a crear una noción diferente del exilio en cada conciencia y en cada conducta.

La simple verdad es que una noción y una praxis positivas del exilio tienen un doble valor; si por un lado pueden modificar estereotipos negativos y disminuir nostalgias comprensibles pero esterilizantes, por otro lado representan una estrategia y un arma de combate, en la medida en que no aceptan la negatividad con la cual tanto cuentan las dictaduras. Cada vez que he visto a un exilado entrar en el lento y penoso camino de la renuncia, he sentido que algo se afirmaba y triunfaba en el campo enemigo; y es aún más triste pensar que acaso esa renuncia no nacía solamente de las circunstancias personales de exilio sino que era producto de una noción rutinaria, de un lugar común persistiendo obstinadamente desde el fondo de la historia, y que hubiera bastado mostrar a tiempo la otra cara de la medalla para orientar positivamente toda esa negatividad inútil, para cambiar un destino de frustración y entrega, y devolverlo a su plenitud humana.

Sé de sobra que los exilados responden a múltiples estratos sociales y calificaciones culturales, y que los hay que están mejor preparados que otros para hacer frente al vacío y a la incertidumbre dentro de ese limbo en penumbras que es siempre el exilio. Pero estoy seguro de que en casi todos los casos una vivencia de tipo afirmativo es siempre posible, y que nuestro deber, puesto que estamos especialmente equipados para ello, es luchar desde aquí y desde todas partes, tanto en congresos como en la actividad privada, en lo teórico como en lo práctico, para difundir, irradiar, exaltar y volver cada vez más viable esta noción dinámica, este sentimiento de que el exilio es otra manera de vivir pero que puede llenarse de un contenido positivo, de una violenta, hermosa fuerza contra lo que lo provocó en su día y lo hace durar frente a toda razón y toda dignidad. Es así como entiendo ahora la solidaridad, que vista dentro de esta perspectiva va mucho más allá de sus manifestaciones habituales, se ahonda en una incitación a echar por la borda los fantasmas y las nostalgias que se aferran a los pies del presente para no dejarlo avanzar hacia el futuro. Nuestro deber para con los exilados latinoamericanos es sobre todo el de llevarles un sentimiento que yo llamaría solar, una claridad de vida, y no solamente ese apoyo que nace de la fraternidad y los medios económicos, y que casi siempre se coloca bajo el signo más o menos disimulado de la compasión. Estamos en condiciones de potenciar fuerzas tantas veces ahogadas por una noción mediocre y rutinaria del exilio. Ojalá que esta conferencia se cierre bajo el signo de la afirmación y que esa voluntad de destruir el exilio dentro del exilio mismo para volverlo combatiente y operativo, se difunda en todas las tierras donde hay latinoamericanos que sufren, donde hay latinoamericanos que esperan.

ARGENTINA:
EN TORNO A UNA CONFERENCIA DE PRENSA

Entre las expresiones a la moda en el terreno geopolítico, la de «imagen» (en el sentido de presentar a un régimen de la manera más favorable frente a los gobiernos y públicos extranjeros) hace furor en estos últimos años. Los franceses, que saben calificar las cosas, la denominan «image de marque»; es raro abrir un periódico de cualquier país sin encontrar alguna referencia a la «imagen» que éste o aquél gobierno procura imponer a los otros.

Es fácil explicarse el fenómeno: en un tiempo de comunicaciones audiovisuales que proyectan multitudinariamente un espectro cada vez más completo de la realidad, no faltan gobiernos temerosos de que ese espectro se torne literalmente el de Banquo y los pierda, razón por la cual intentan ocultar con un diluvio de palabras doradas o una copa mundial de fútbol la sangre que les mancha las manos. Dictadores como Pinochet, Somoza y Videla temen consciente o inconscientemente la llegada de esa hora en que, al igual que Lady Macbeth, deberán confesar sus crímenes y asumir sus consecuencias. Como la altiva dama shakespiriana, ningún perfume de Arabia podrá borrar las huellas de esa sangre que los delata; por eso las «imágenes» son un recurso desesperado, guantes de terciopelo para ocultar manos manchadas. La junta militar argentina descuella actualmente en materia de guantes: algunos tienen un tamaño descomunal, como la copa mundial de fútbol, y otros son más modestos y toman la forma de boletines informativos impresos poco menos que en papel rosa, y de tarjetas postales llenas de satisfacción patriótica escritas por ingenuos o cómplices (que, créase o no, las encuentran ya preparadas en algunas revistas de gran circulación); se llega incluso a liberar a una cierta cantidad de presos políticos como muestra de la buena voluntad del régimen.

Si esa contrainformación tan múltiple y variada cuenta con medios económicos sustanciales que sin duda le dan considerable eficacia ante un público extranjero desconcertado o vacilante en materia política, la realidad seca y desnuda está allí para desmentirla cotidianamente; algo de eso saben el profesor León Schwarzemberg y muchos de sus colegas que han decidido no asistir al congreso de cancerología de Buenos Aires por entender que el verdadero cáncer argentino no está precisamente en los hospitales; algo de eso saben también los asistentes a una reciente conferencia de prensa en París, en la que un ex parlamentario argentino, el diputado peronista Jaime Dri, reveló los detalles de su prisión y su evasión, de las torturas sufridas por él y por numerosos compañeros en la siniestra Escuela de Mecánica de la Armada, por la que también pasaron en su día las dos religiosas francesas más que probablemente asesinadas por sus captores; algo de eso, como se ve, alcanza a superponerse al aluvión de noticias falsas manipuladas desde Buenos Aires, al punto de convertir la «imagen» del régimen en un mero mecanismo de publicidad. Y si mucha gente acepta pasivamente el lavado de cerebro que le imponen las marcas de automóviles o de detergentes, también la hay que se basa en su propio juicio para optar por un producto cualquiera, sea comercial o político. Incluso en el periodismo francés, del que no puede decirse que sea particularmente abundante en su crítica de la dictadura argentina, tampoco hay espacio para que los servicios oficiales argentinos puedan anunciar su mercadería en términos convincentes. Y como la verdad, en última instancia, tiene una misteriosa manera de imponerse frente a la fraseología de quienes buscan publicitar las «imágenes», bastan cosas como las escuetas declaraciones de un Jaime Dri para echar abajo toda una literatura oficial, incluida la visita al Papa y otros anuncios a toda página.

De las denuncias del parlamentario argentino surge una

realidad sin cambio alguno: las dictaduras latinoamericanas se instalan para durar (preguntarle a Stroessner y a Somoza), y sus máquinas de terror y represión sólo varían en las modalidades técnicas, en los ajustes que les imponen las denuncias interiores y exteriores. A la brutal escalada de los asesinatos en pleno día sucede el sistema de las «desapariciones»; a la negativa frente a las comisiones extranjeras de investigación sigue la bienvenida sonriente, sólo que se tiene cuidado de preparar el escenario, limpiar la casa y recortar el césped. Supongo que nadie le impedirá al profesor Schwarzemberg entrar en la Argentina y hablar con quien quiera; lo que está por saberse, después de lo ocurrido con la comisión de Amnesty International, es quiénes se animarán a hablar abiertamente con él. De las declaraciones de Jaime Dri surge lo que para mí es particularmente siniestro en la coyuntura latinoamericana: el entendimiento perfecto de las dictaduras para fusionar sus servicios represivos, intercambiarse prisioneros con total desprecio de los derechos humanos (Jaime Dri fue secuestrado en el Uruguay y trasladado a la Argentina), y lavarse recíprocamente las manos cuando conviene.

Pero aquí vuelve a asomar el espectro de Banquo; ya nada puede limpiar esas manos ensangrentadas, y Jaime Dri lo comprobó personalmente durante su prisión en la Escuela de Mecánica de la Armada: los oficiales empiezan a inquietarse, a prever un futuro donde les está esperando otro tribunal de Nuremberg. Esto no significa que haya que esperar un cambio radical de actitud o de procedimientos, pero cuando la represión empieza a volverse una mera máquina (y las máquinas no tienen convicciones), se puede pensar legítimamente que la tenacidad, el valor y la decisión de los opositores a la dictadura están haciendo mella en la moral de los opresores. Se puede polemizar largamente sobre el pro o el contra de la lucha armada, pero antes, durante y después de ésta es perceptible que un pueblo sabe luchar de muchas maneras diferentes, y que sus supuestos vencedores no tienen jamás el sueño tranquilo. Sus esfuerzos frenéticos por imponer ante el mundo la famosa «imagen» se ven resquebrajados ante las denuncias cotidianas de las más diversas fuentes, y los testimonios de víctimas como Jaime Dri. Por cosas así el embajador argentino en París no ha recibido ni recibirá al profesor Schwarzemberg; por cosas así los hombres de la junta militar argentina no han sido ni serán jamás interlocutores válidos aunque orquesten copas de fútbol, aunque vayan a Roma, aunque sigan buscando ese sostén moral que ya muy pocos están dispuestos a darles.

En el café donde Calac y Polanco se reúnen con gran perseverancia por ser el único que les fía la cerveza, reina esta tarde un clima sumamente intelectual porque Calac se ha personado con un libro bajo el brazo en vez del diario donde estudian los pronósticos para las carreras del domingo. Estupefacto, Polanco se entera, a) del título, *Los estrategas del miedo,* y b) de su autor, un francés llamado Pierre F. de Villemarest, todo eso editado en Suiza.

—Un nombre elegante —reconoce Polanco—, aunque me cuesta creer que lo hayas comprado por esa razón, al precio que están estos artículos.

—Me lo hicieron llegar —explica Calac—. Parece que han salido tres ediciones simultáneas, en español, francés e inglés, que cunden como el césped bien regado.

—Bien regado debe estar, porque eso de editar de un solo saque un libro en tres idiomas no le pasa ni a Richard Nixon, que es de los que venden tupido. ¿Y qué cuenta de bueno ese mozo Pierre para que vos te fatigués el sobaco con riesgo de colapso?

—De bueno cuenta mucho —dice Calac—, y si querés una síntesis mirá este anuncio publicado nada menos que en *Le Monde,* informándonos de que la Argentina conoce un período de calma y de prosperidad, sic. Aspetta, caro, que eso no es todo. A pesar de una inflación considerable, te leo sin comerme ni una sílaba, la Argentina no sólo puede jactarse de ignorar el desempleo, sino además de asegurar a su población un ingreso en constante crecimiento. Verificá con tus propios ojazos, si no me creés.

—Ah, bueno —dice Polanco—, pero entonces mi familia allá debe estar loca, porque la carta que recibí ayer es para llorar tres días.

—Sin duda tu familia no forma parte de la población, igual que la mía, es un asunto que merecería estudio. Pero el anuncio no termina ahí, mirá si seremos ignorantes que se nos estaba escapando lo principal, o sea que «una nación entregada hasta ayer al terrorismo y a la guerra civil urbana se ha convertido en un puerto de paz en el que se están invirtiendo los capitales europeos que buscan la seguridad». Leé vos mismo, no te estoy contando una en colores.

—Para serte franco —opina Polanco—, esto de las inversiones parece lo más cierto del anuncio, y no sólo con respecto a capitales europeos. Claro que mientras el barco flota siempre habrá ratas en la cala, como dijo Lao-Tsé. ¿Y ese libro explica quién lo mantiene a flote después de la tormenta?

—El ejército, che, me extraña una pregunta tan ingenua.

—¿Y explica también por qué se estaba hundiendo?

—Claro, ya lo oíste: por el terrorismo y la guerra civil urbana.

—Ah. Con vos y el Pierre uno se instruye que da miedo. Sin duda que el libro también habla de las causas que provocaron esas conmociones.

—Desde luego, es sencillísimo: la guerrilla no era más que una etapa local en el complot mundial del marxismo, coordinado, como dice la segunda frase del prólogo, por la mano del KGB soviético.

—Acabáramos —dice Polanco aliviado—. Pero si me permitís un paso atrás, ¿se explica algo sobre los problemas de desigualdad social y económica en la Argentina, la condición de los campesinos y los obreros, las represiones policiales, el papel de la oligarquía, de las transnacionales, de la entrega a esos capitales extranjeros que ahora vuelven tan contentos desde que se acabó más o menos con la resistencia y el lago de sangre fue rebautizado puerto de paz como lo llama ese vistoso anuncio?

—No, che —reconoce Calac—, de eso no se dice ni una

sola palabra inteligible en todo el libro, que tiene sus buenas doscientas páginas. Es como si las cosas hubieran andado de lo más bien hasta que de golpe aparecieron unos facinerosos que la empezaron a tiros por todas partes. Una especie de generación espontánea, te das cuenta, aunque el Pierre no tarda en explicarla con lo de la conspiración mundial y el KGB, de resultas de lo cual muchísimos lectores se van a quedar convencidos porque hay demasiada gente a quien le encanta que la convenzan sin crearle demasiados nudos en las meninges.

—En fin —suspira Polanco—, supongo que por lo menos se habla de la forma en que se reprimió la conspiración, todo eso que cualquiera conoce allá y aquí, los asesinatos en masa, la tortura, los millares de desaparecidos. No hay que olvidarse de que las encuestas, como por ejemplo la de la OEA, demostraron de sobra que...

—¿Encuestas? ¿Torturas? El Pierre se ocupa solamente de cosas serias, hermano. ¿Desaparecidos? Esta cuestión, para darte un ejemplo, la explica con una claridad deslumbrante: prácticamente no hay desaparecidos, solamente que los guerrilleros se mataban entre ellos por disensiones partidistas, ocultaban los cadáveres y ponían los nombres en las listas de desaparecidos. Elementary, my dear Watson.

—Voy a tener que leer ese libro —dice quejoso Polanco—. Y pensar que los críticos literarios se quejan de falta de imaginación creadora en estos tiempos.

—No es chiste, che —dice Calac ofendido.

—Ya lo sé —dice Polanco—. Por eso hago chistes, vos sabés bien que eso ayuda a no vomitar, a seguir adelante, a decirle a la gente algunas cosas que no siempre la alcanzan cuando se las envuelve en cifras y reflexiones ideológicas y vehementes llamadas a la justicia. A lo mejor es por eso que el tipo que vuelta a vuelta se sirve de nosotros, ya sabés de quién te hablo, prefiere decir esas cosas en forma de cuentos, por ejemplo.

—Bah —dice Calac despectivo—, al final se los prohíben en la Argentina.

—Debe ser para cuidar el asunto de las inversiones de capitales europeos —reflexiona Polanco—. Acordate de aquello de que el dinero no tiene olor, lo dijo un tal Vespasiano, y no es cosa de ir a invertirlo en un país que no esté bien limpio.

—Che, pero vos confundís los ejemplos. El Vespasiano dijo eso porque sus ganancias le venían de un impuesto a las letrinas.

—Y bueno —dice Polanco—, también hay eso de *mutatis mutandis*. Andá a saber quién lo dijo pero lo mismo vale, no te parece.

La Historia ya no avanza en el tiempo, como en los cuadros alegóricos del Renacimiento, de pie en una lenta cuadriga triunfal; la Historia viaja hoy en un *jet,* y apenas terminado uno de sus capítulos de gloria o de infamia, el olvido pasa una rápida esponja por el encerado de nuestras memorias. Si estas imágenes un tanto pictóricas parecen demasiado alambicadas, remito a la lectura de *Le Monde* de París, cuyo número del primero de junio contiene en la página 3 el resumen de las brillantes negociaciones que celebra el ministro de economía de la Argentina con gobiernos tan aparentemente antagónicos como Francia, la Unión Soviética, los Estados Unidos y China, que se apresuran a multiplicar fabulosas inversiones destinadas al desarrollo energético y tecnológico del país y cosechar los consiguientes beneficios para los inversores. Pero ocurre que en la página 10 *del mismo número,* el Tribunal Permanente de los Pueblos, del cual formo parte, da cuenta de su última sesión celebrada en Ginebra, que le ha permitido investigar y analizar los trágicos acontecimientos ocurridos en la Argentina desde la toma del poder por la junta militar presidida por el general Videla, y sancionar enérgicamente a dicha junta por su abierta violación de los más fundamentales derechos humanos. Así, a pocas páginas de intervalo, una sola realidad se desdobla ya en pasado y presente, en olvido y actualidad; el *jet* de la historia es supersónico, y cuando se viaja en él no puede extrañar a nadie que un artículo de *Le Matin* del 6 de junio termine diciendo: «La dictadura argentina, que ha ejercido y sigue ejerciendo la más feroz de las represiones, puede comprobar hoy con satisfacción que todos los países mantienen con ella las mejores relaciones del mundo.» Bueno es lo que bien acaba, ¿no es cierto, Shakespeare?

Fácil es deducir que el cinismo más imperturbable se encarga de los comandos de ese *jet* capaz de proponer contradicciones tan flagrantes. Por dar un ejemplo entre muchos, la embajada argentina en Washington paga una página de publicidad titulada *The New Argentina,* en la que se «vende» el país a los nuevos inversores, sean japoneses, soviéticos o norteamericanos, con el aval de personajes tales como William D. Rogers, ex subsecretario de Estado para los asuntos latinoamericanos, quien después de visitar el país en 1975 y 1979, afirma: «Hoy estamos viviendo en una atmósfera diferente», y el de William Simon, ex secretario del Tesoro, que afirma: «En los últimos tres años, la Argentina ha visto más la luz que en los treinta años precedentes, y esto es algo poco frecuente en la historia.» Si la atmósfera diferente de míster Rogers es la de un cementerio con relación a una ciudad, y si la mayor luz de míster Simon viene de que en el suelo argentino faltan las sombras de quince mil personas desaparecidas y casi seguramente asesinadas, desde luego estos honorables funcionarios no se equivocan. Pero no todos estamos de acuerdo con ellos.

Los primeros en no estarlo son los juristas y personalidades internacionales que constituyen el Tribunal de los Pueblos, para quienes el régimen militar argentino es responsable de una sistemática violación de los derechos del pueblo a través del desmantelamiento de las estructuras sindicales y de los partidos políticos, la liquidación o desaparición de innumerables ciudadanos, la práctica sistemática de la tortura en sus formas más monstruosas (cf. el informe del Tribunal), y la carencia de recursos judiciales frente a los atropellos de toda índole. No puede sorprender a nadie, empezando por los miembros de la junta, que el Tribunal condene con el máximo rigor al régimen instaurado en 1967 *por su violación del derecho fundamental del pueblo argentino a la autodeterminación.*

Los quinientos mil exilados dispersos en todo el globo,

y los exilados internos privados a sabiendas o no de sus más elementales libertades personales y cívicas, se suman a los miles y miles de muertos como el precio monstruoso que está pagando la Argentina a cambio del espejismo de la potencia nuclear y energética, de las plantas hidroeléctricas y de las incontables inversiones de todo tipo que le prodiga el gran capital (sin hablar del gran socialismo, porque esta vez el dinero no parece oler mal del lado del Río de la Plata). Quienes nos negamos a aceptar ese «milagro», ese «modelo argentino» que las embajadas proponen a todo trapo, somos aquellos para quienes las madres de los desaparecidos nos parecen el verdadero «milagro» dentro del clima de terror, delación e indiferencia en que cumplen heroicamente su empecinado y justísimo acto semanal de protesta; aquellos para quienes el repudio y la resistencia de miles de obreros, intelectuales y artistas muestra y defiende el verdadero «modelo argentino» que se quiere enterrar bajo el fragor de las nuevas represas, de las autopistas y los complejos industriales que una vez más darán sus ganancias a la oligarquía interior y a las multinacionales extranjeras mientras se siguen congelando los salarios de los trabajadores y sustituyendo la libertad por nuevas copas mundiales de fútbol y otros juegos de circo.

¿Cómo explicar esa doble cara de la medalla, esa viviente contradicción que parece ser la Argentina actual? Que la junta sabe lo que hace, creo que está más que probado. En un país donde la venalidad y la mala fe vienen de muy lejos en el tiempo, el pueblo que verdaderamente merece ese hermoso nombre está diezmado o amordazado por un poder que ha sabido jugar con el miedo, con la ignorancia y con el tradicional «no te metás» de todos aquellos, y son legión, que uno de estos días aplaudirán nuestra primera bomba atómica como hace un par de años aplaudieron los goles de Kempes. (Entre otras cosas —y sería para reírse si no fuera tan trágico— por miedo al espantapájaros del «comunismo», a la misma hora en que millones de soviéticos comen pan fabricado con trigo argentino.)

Por eso, si el Tribunal de los Pueblos condena al régimen militar como es justo y necesario que lo haga, hay que tener el valor de sentir y de decir que esa condena debe ir más allá en nuestra conciencia y abarcar igualmente a los cómplices, a los esbirros, a los fariseos, a los especuladores, a los prescindentes, a los muchos que saben y callan; porque también eso, por desgracia, es la Argentina.

André Gide afirmó en alguna parte que ya todo ha sido dicho, pero como nadie escucha hay que volver a empezar. Por eso, aunque lo que sigue ha sido dicho y repetido en comentarios, cables, estudios y entrevistas, ocurre que el índice de sordera voluntaria es muy alto en materias políticas y sólo la insistencia más obstinada consigue a veces abrirse paso en los canales auditivos. Aquello de: «Hay que destruir a Cartago», repetido hasta el cansancio, terminó dando sus frutos para Roma; claro que Cartago es un fantasma en el fondo de los tiempos, y en cambio las islas Malvinas se dibujan hoy muy claramente en el mapa de las primeras páginas de los diarios. Sobre ellas, pues, se hace necesario repetir algunas cosas que en estos días tienden a quedar sumergidas bajo la doble influencia de las pasiones populares y de su manipulación inescrupulosa.

Que las Malvinas pertenezcan a la República Argentina es un hecho indiscutible, y su posesión por Gran Bretaña representa una de las tantas arbitrariedades que hicieron del colonialismo uno de los períodos más negativos e inhumanos de la historia moderna. Desde que tengo memoria, los argentinos han reivindicado obstinadamente su derecho a recuperar el archipiélago, incluido en la imagen de la patria al igual que cualquiera de sus provincias. Que la pequeña población de las islas esté formada por descendientes de británicos sin mayores contactos ni afinidades con los argentinos, es algo que nunca ha gravitado en la idea que éstos se han hecho de sus legítimos derechos sobre esas tierras.

Para los ingleses, como es comprensible, lo que ocurre en este momento significa en cambio un atropello contra sus compatriotas; es fácil advertir hasta qué punto el enfrentamiento se basa en razones y sentimientos que poco tienen que ver los unos con los otros. Y eso es lo que da su máxima gravedad a la situación: lo que para unos es recuperación, para los otros es despojo, allí donde precisamente el despojo inicial determinó en su día el anhelo de recuperación.

Si lo que acaba de ocurrir se hubiera llevado a cabo en las décadas anteriores, no habría ninguna razón para escribir estas líneas. Si cualquiera de los gobiernos legítimos de la Argentina hubiera decidido la operación actualmente en curso, el pleno e indudable apoyo de todo el pueblo le hubiera dado una fuerza y una belleza que hoy le faltan por completo; las fuerzas armadas habrían llevado a ejecución la voluntad popular, en vez de obrar por su cuenta y presentar los hechos ya consumados. Los observadores mundiales no se equivocaron al señalar desde el primer día el carácter altamente sospechoso de esa repentina decisión de llevar a la práctica un anhelo popular de antiguas raíces. A muy pocos días de una gran manifestación de protesta contra la carestía de la vida, la limitación de la libertad y los derechos humanos, y las desapariciones todavía inexplicadas de más de quince mil argentinos, manifestación que se saldó con miles de arrestos y una dura represión en calles y plazas, la junta del general Galtieri se despierta encendida de patriotismo y ordena la movilización militar y el desembarco en las Malvinas. Despertar que de inmediato habría de ser aclamado por una de esas muchedumbres que se reúnen y se disuelven sin dejar la profunda huella que sin duda dejó la de una semana antes. Despertar que permite dar fin al enojoso problema de los arrestos mencionados antes, estrechar la mano de diversos líderes opositores, y abrir un compás de espera cuya precariedad no escapará a nadie que utilice normalmente sus células grises.

Los ingleses, por supuesto, se han apresurado a afirmar

que no consideraban al actual gobierno argentino como un interlocutor válido en una cuestión donde los argumentos de derecho y de soberanía son utilizados por quienes desde hace años pisotean los derechos de su propio pueblo y tienden a dar de la soberanía una idea poco menos que feudal. Pero ellos tampoco son interlocutores válidos en el caso de las Malvinas, y no será su opinión la que haya determinado el rechazo casi mundial de la operación militar argentina. Ese consenso nace del desprestigio moral de un régimen que, con variantes menores, mantiene desde hace años una ocupación interna frente a la cual la de las Malvinas por Gran Bretaña parece insignificante. Para decirlo en otros términos, lo que necesitaba en estos momentos el pueblo argentino no era que el ejército y la marina entraran en las Malvinas sino en los cuarteles; pero es bastante evidente que lo primero es un procedimiento dilatorio para seguir evitando lo segundo.

Imposible saber cómo va a terminar una situación que se anuncia compleja; todo lo que parece claro es que la situación material argentina, ya al borde del desastre, no va a beneficiarse con algo que perturba profundamente las actividades económicas y no logra un apoyo exterior que parecía haberse dado por seguro. Si la Argentina conserva la posesión de las islas como es su pleno derecho, ¿cuáles serán las consecuencias en términos positivos? Para un país que es potencialmente uno de los más ricos del mundo, ¿qué valor agregará la reincorporación de esas tierras? Estas preguntas, que en tiempos normales, en tiempos constitucionales y democráticos, recibirían inmediatamente respuestas positivas, no suscitan hoy otra cosa que escepticismo. Nadie duda del derecho, pero sí de los hechos, porque acaban de producirse en circunstancias que los priva de auténticas motivaciones para su ejecución. Y nada mueve a creer que algo que en sí es tan justo contenga hoy el símbolo de una mutación, de una reflexión sobre el auténtico destino del país; muy al contrario, hace pensar en un manotón de ahogado, en un maniobra de diversión y de distracción. Con las Malvinas o sin ellas, los argentinos seguirán despertando diariamente en un clima de inquietud, de carestía y de arbitrariedad; la única diferencia será que ahora ese clima abarca una superficie mayor que antes. Liberar a las Malvinas está bien, pero liberar a la Argentina sería mejor; y no parece que esta doble tarea esté hoy en manos de los mismos protagonistas.

Trataré de resumir en pocas frases una cuestión muy compleja:

1) Los argentinos no han cesado nunca de reivindicar lo que consideran sus derechos sobre las islas Malvinas. Por consiguiente, y después de muchos años de reclamaciones diplomáticas infructuosas ante la corona británica, la actual ocupación «de facto» de las islas no es más que el cumplimiento de una voluntad que tiene hondas raíces en todo el pueblo argentino.

2) Si esto puede ser considerado como lógico y justificado, el hecho de que la ocupación haya sido decidida y realizada por el gobierno militar del general Galtieri constituye un acto que la gran mayoría de los observadores internacionales considera como una mera maniobra política destinada a distraer la atención de los argentinos frente a la gravísima situación por la que atraviesa el país.

3) Esa situación es el resultado de casi diez años de represión, de asesinatos y torturas, y de la desaparición de un número de personas que se estima entre quince y treinta mil, lo que ha traído entre otras consecuencias nefastas el exilio de cientos de miles de argentinos y un clima de inseguridad, de censura y de desaliento que se refleja en todo el panorama del país.

4) A ese proceso negativo se suma en estos últimos años una verdadera catástrofe económica, con todas sus secuelas en el plano social y laboral del país. Inflación, carestía, congelación de salarios y muchos otros factores de ese orden han creado un clima de incertidumbre que en los

últimos meses empezó a manifestarse en forma de protestas públicas, y que culminó con una serie de manifestaciones realizadas en las calles de Buenos Aires y del interior, muy pocos días antes de que el gobierno decidiera la ocupación de las Malvinas.

5) Por todo eso, frente a la caótica situación en el país y la espectacular operación militar que acaba de llevarse a cabo, pienso que si está bien liberar a las islas Malvinas de la dominación inglesa, mucho mejor sería liberar a toda la Argentina de la dominación de su régimen de gobierno. Sólo que, naturalmente, los que acaban de hacer lo primero no tienen la menor intención de llevar a cabo lo segundo.

II

DEL ESCRITOR DE DENTRO Y DE FUERA

Si algo sabemos los escritores, es que las palabras pueden llegar a cansarse y a enfermarse, como se cansan y se enferman los hombres o los caballos. Hay palabras que a fuerza de ser repetidas, y muchas veces mal empleadas, terminan por agotarse, por perder poco a poco su vitalidad. En vez de brotar de las bocas o de la escritura como lo que fueran alguna vez, flechas de la comunicación, pájaros del pensamiento y de la sensibilidad, las vemos o las oímos caer como piedras opacas, empezamos a no recibir de lleno su mensaje, o a percibir solamente una faceta de su contenido, a sentirlas como monedas gastadas, a perderlas cada vez más como signos vivos y a servirnos de ellas como pañuelos de bolsillo, como zapatos usados.

Los que asistimos a reuniones como ésta sabemos que hay palabras-clave, palabras-cumbre que condensan nuestras ideas, nuestras esperanzas y nuestras decisiones, y que deberían brillar como estrellas mentales cada vez que se las pronuncia. Sabemos muy bien cuáles son esas palabras en las que se centran tantas obligaciones y tantos deseos; libertad, dignidad, derechos humanos, pueblo, justicia social, democracia, entre muchas otras. Y ahí están otra vez esta noche, aquí las estamos diciendo porque debemos decirlas, porque ellas aglutinan una inmensa carga positiva sin la cual nuestra vida tal como la entendemos no tendría el menor sentido, ni como individuos ni como pueblos. Aquí están otra vez esas palabras, las estamos diciendo, las estamos escuchando. Pero en algunos de nosotros, acaso porque tenemos un contacto más obligado con el idioma que es nuestra herramienta estética de trabajo, se abre paso un sentimiento de inquietud, un temor que sería fácil callar en el entusiasmo y la fe del momento, pero que no debe ser callado cuando se lo siente con la fuerza y con la angustia con que a mí me ocurre sentirlo.

Una vez más, como en tantas reuniones, coloquios, mesas redondas, tribunales y comisiones, surgen entre nosotros palabras cuya necesaria repetición es prueba de su importancia; pero a la vez se diría que esa reiteración las está como limando, desgastando, apagando. Digo: «libertad», digo «democracia», y de pronto siento que he dicho esas palabras sin haberme planteado una vez más su sentido más hondo, su mensaje más agudo, y siento también que muchos de los que las escuchan las están recibiendo a su vez como algo que amenaza convertirse en un estereotipo, en un clisé sobre el cual todo el mundo está de acuerdo porque ésa es la naturaleza misma del clisé y del estereotipo: anteponer un lugar común a una vivencia, una convención a una reflexión, una piedra opaca a un pájaro vivo.

¿Con qué derecho digo aquí estas cosas? Con el simple derecho de alguien que ve en el habla el punto más alto que haya escalado el hombre buscando saciar su sed de conocimiento y de comunicación, es decir, de avanzar positivamente en la historia como ente social, y de ahondar como individuo en el contacto con sus semejantes. Sin la palabra no habría historia y tampoco habría amor; seríamos, como el resto de los animales, mera perpetuación y mera sexualidad. El habla nos une como parejas, como sociedades, como pueblos. Hablamos porque somos, pero somos porque hablamos. Y es entonces que en las encrucijadas críticas, en los enfrentamientos de la luz contra la tiniebla, de la razón contra la brutalidad, de la democracia contra el fascismo, el habla asume un valor supremo del que no siempre nos damos plena cuenta. Ese valor, que debería ser nuestra fuerza diurna frente a las acometidas de la fuerza nocturna, ese valor que nos mostraría con una máxima claridad el camino frente a los laberintos y las trampas que nos tiende el enemigo, ese valor del habla lo manejamos a veces como quien pone en marcha su automóvil o sube la escalera de su casa, mecánicamente, casi sin pensar, dándolo por sentado y por válido, descontando que la libertad es la libertad y la justicia es la justicia, así tal cual y sin más, como el cigarrillo que ofrecemos o que nos ofrecen.

Hoy, en que tanto en España como en muchos otros países del mundo se juega una vez más el destino de los pueblos frente al resurgimiento de las pulsiones más negativas de la especie, yo siento que no siempre hacemos el esfuerzo necesario para definirnos inequívocamente en el plano de la comunicación verbal, para sentirnos seguros de las bases profundas de nuestras convicciones y de nuestras conductas sociales y políticas. Y eso puede llevarnos en muchos casos a luchar en la superficie, a batirnos sin conocer a fondo el terreno donde se libra la batalla y donde debemos ganarla. Seguimos dejando que esas palabras que transmiten nuestras consignas, nuestras opciones y nuestras conductas, se desgasten y se fatiguen a fuerza de repetirse dentro de moldes avejentados, de retóricas que inflaman la pasión y la buena voluntad pero que no incitan a la reflexión creadora, al avance en profundidad de la inteligencia, a las tomas de posición que signifiquen un verdadero paso adelante en la búsqueda de nuestro futuro.

Todo esto sería acaso menos grave si frente a nosotros no estuvieran aquellos que, tanto en el plano del idioma como en el de los hechos, intentan todo lo posible para imponernos una concepción de la vida, del estado, de la sociedad y del individuo basada en el desprecio elitista, en la discriminación por razones raciales y económicas, en la conquista de un poder omnímodo por todos los medios a su alcance, desde la destrucción física de pueblos enteros hasta el sojuzgamiento de aquellos grupos humanos que ellos destinan a la explotación económica y a la alienación individual. Si algo distingue al fascismo y al imperialismo como técnicas de infiltración es precisamente su empleo tendencioso del lenguaje, su manera de servirse de los mismos conceptos que estamos utilizando aquí esta noche para alterar y viciar su sentido más profundo y proponerlos como consignas de su ideología. Palabras como patria, libertad y civilización saltan como conejos en todos sus discursos, en todos sus artículos periodísticos. Pero para ellos la patria es una plaza fuerte destinada por definición a menospreciar y a amenazar a cualquier otra patria que no esté dispuesta a marchar a su lado en el desfile de los pasos de ganso. Para ellos la libertad es *su* libertad, la de una minoría entronizada y todopoderosa, sostenida ciegamente por masas realmente masificadas. Para ellos la civilización es el estancamiento en un conformismo permanente, en una obediencia incondicional. Y es entonces que nuestra excesiva confianza en el valor positivo que para nosotros tienen esos términos puede colocarnos en desventaja frente a ese uso diabólico del lenguaje. Por la muy simple razón de que nuestros enemigos han mostrado su capacidad de insinuar, de introducir paso a paso un vocabulario que se presta como ninguno al engaño, y si por nuestra parte no damos al habla su sentido más auténtico y verdadero, puede llegar el momento en que ya no se vea con la suficiente claridad la diferencia esencial entre nuestros valores políticos y sociales y los de aquellos que presentan sus doctrinas vestidas con prendas parecidas; puede llegar el día en que el uso reiterado de las mismas palabras por unos y por otros no deje ver ya la diferencia esencial de sentido que hay en términos tales como *individuo,* como *justicia social,* como *derechos humanos,* según que sean dichos por nosotros o por cualquier demagogo del imperialismo o del fascismo.

Hubo un tiempo, sin embargo, en que las cosas no fueron así. Basta mirar hacia atrás en la historia para asistir al nacimiento de esas palabras en su forma más pura, para sentir su temblor matinal en los labios de tantos visionarios, de tantos filósofos, de tantos poetas. Y eso, que era expresión de utopía o de ideal en sus bocas y en sus escritos, habría de llenarse de ardiente vida cuando una primera y fabulosa convulsión popular las volvió realidad en el estallido de la Revolución francesa. Hablar de libertad, de igualdad y de fraternidad dejó entonces de ser una abstracción del deseo para entrar de lleno en la dialéctica cotidiana de la historia vivida. Y a pesar de las contrarrevoluciones, de las traiciones profundas que habrían de encarnarse en figuras como la de un Napoleón Bonaporte y las de tantos otros, esas palabras conservaron su sabor más humano, su mensaje más acuciante que despertó a otros pueblos, que acompañó el nacimiento de las democracias y la liberación de tantos países oprimidos a lo largo del siglo XIX y la primera mitad del nuestro. Esas palabras no estaban ni enfermas ni cansadas, a pesar de que poco a poco los intereses de una burguesía egoísta y despiadada empezaba a recuperarlas para sus propios fines, que eran y son el engaño, el lavado de cerebros ingenuos o ignorantes, el espejismo de las falsas democracias como lo estamos viendo en la mayoría de los países industrializados que continúan decididos a imponer su ley y sus métodos a la totalidad del planeta. Poco a poco esas palabras se viciaron, se enfermaron a fuerza de ser violadas por las peores demagogias del lenguaje dominante. Y nosotros, que las amamos porque en ellas alienta nuestra verdad, nuestra esperanza y nuestra lucha, seguimos diciéndolas porque las necesitamos, porque son las que deben expresar y transmitir nuestros valores positivos, nuestras normas de vida y nuestras consignas de combate. Las decimos, sí, y es necesario y hermoso que así sea; pero, ¿hemos sido capaces de mirarlas de frente, de ahondar en su significado, de despojarlas de las adherencias de falsedad, de distorsión y de superficialidad con que nos han llegado después de un itinerario histórico que muchas veces las ha entregado y las entrega a los peores usos de la propaganda y la mentira?

Un ejemplo entre muchos puede mostrar la cínica deformación del lenguaje por parte de los opresores de los pueblos. A lo largo de la segunda guerra mundial, yo escuchaba desde mi país, la Argentina, las transmisiones radiales por ondas cortas de los aliados y de los nazis. Recuerdo, con un asco que el tiempo no ha hecho más que multiplicar, que las noticias difundidas por la radio de Hitler comenzaban cada vez con esta frase: «Aquí Alemania, defensora de la cultura.» Sí, ustedes me han oído bien, sobre todo ustedes los más jóvenes para quienes esa época es ya apenas una página en el manual de historia. Cada noche la voz repetía la misma frase: «Alemania, defensora de la cultura.» La repetía mientras millones de judíos eran exterminados en los campos de concentración, la repetía mientras los teóricos hitleristas proclamaban sus teorías sobre la primacía de los arios puros y su desprecio por todo el resto de la humanidad considerada como inferior. La palabra cultura, que concentra en su infinito contenido la definición más alta del ser humano, era presentada como un valor que el hitlerismo pretendía defender con sus divisiones blindadas, quemando libros en inmensas piras, condenando las formas más audaces y hermosas del arte moderno, masificando el pensamiento y la sensibilidad de enormes multitudes. Eso sucedía en los años cuarenta, pero la distorsión del lenguaje es todavía peor en nuestros días, cuando la sofisticación de los medios de comunicación la vuelve aún más eficaz y peligrosa puesto que ahora franquea los últimos umbrales de la vida individual, y desde los canales de la televisión o las ondas radiales puede invadir y fascinar a quienes no siempre son capaces de reconocer sus verdaderas intenciones.

Mi propio país, la Argentina, proporciona hoy otro ejemplo de esta colonización de la inteligencia por deformación de la palabra. En momentos en que diversas comisiones internacionales investigaban las denuncias sobre los miles y miles de desaparecidos en el país, y daban a conocer informes aplastantes donde todas las formas de violación de los derechos humanos aparecían probadas y documentadas, la junta militar organizó una propaganda basada en el siguiente slogan: «Los argentinos somos derechos y humanos». Así, esos dos términos indisolublemente ligados desde la Revolución francesa y en nuestros días por la Declaración de las Naciones Unidas, fueron insidiosamente separados, y la noción de *derecho* pasó a tomar un sentido totalmente disociado de su significación ética, jurídica y política para convertirse en el elogio demagógico de una supuesta manera de ser de los argentinos. Véase cómo el mecanismo de ese sofisma se vale de las mismas palabras: Como somos derechos y humanos, nadie puede pretender que hemos violado los derechos humanos. Y todo el mundo puede irse a la cama en paz.

Pero acaso no haya en estos momentos una utilización más insidiosa del habla que la utilizada por el imperialismo norteamericano para convencer a su propio pueblo y a los de sus aliados europeos de que es necesario sofocar de cualquier manera la lucha revolucionaria en El Salvador. Para empezar se escamotea el término «revolución», a fin de negar el sentido esencial de la larga y dura lucha del pueblo salvadoreño por su libertad —otro término que es cuidadosamente eliminado—; todo se reduce así a lo que se califica de enfrentamientos entre grupos de ultraderecha y de ultraizquierda (estos últimos denominados siempre como «marxistas»), en medio de los cuales la junta de gobierno aparece como un agente de moderación y de estabilidad que es necesario proteger a toda costa. La consecuencia de este enfoque verbal totalmente falseado tiene por objeto convencer a la población norteamericana de que frente a toda situación política considerada como inestable en los países vecinos, el deber de los Estados Unidos es defender la democracia dentro y fuera de sus fronteras, con lo cual ya tenemos bien instalada la palabra «democracia» en un contexto con el que naturalmente no tiene nada que ver. Y así podríamos seguir pasando revista al doble juego de escamoteos y de tergiversaciones verbales que, como se puede comprobar cien veces en ese y en tantos otros casos, termina por influir en mucha gente y, lo que es peor, golpea a las puertas de nuestro propio discurso político con las armas de la televisión, de la prensa y del cine, para ir generando una confusión mental progresiva, un desgaste de valores, una lenta enfermedad del habla, una fatiga contra la que no siempre luchamos como deberíamos hacerlo.

¿Pero en qué consiste ese deber? Detrás de cada palabra está presente el hombre como historia y como conciencia, y es en la naturaleza del hombre donde se hace necesario ahondar a la hora de asumir, de exponer y de defender nuestra concepción de la democracia y de la justicia social. Ese hombre que pronuncia tales palabras, ¿está bien seguro de que cuando habla de democracia abarca el conjunto de sus semejantes sin la menor restricción de tipo étnico, religioso o idiomático? Ese hombre que habla de libertad, ¿está seguro de que en su vida privada, en el terreno del matrimonio, de la sexualidad, de la paternidad o la maternidad, está dispuesto a vivir sin privilegios atávicos, sin autoridad despótica, sin machismo y sin feminismo entendidos como recíproca sumisión de los sexos? Ese hombre que habla de derechos humanos, ¿está seguro de que sus derechos no se benefician cómodamente de una cierta situación social o económica frente a otros hombres que carecen de los medios o la educación necesarios para tener conciencia de ellos y hacerlos valer?

Es tiempo de decirlo: las hermosas palabras de nuestra lucha ideológica y política no se enferman y se fatigan por sí mismas, sino por el mal uso que les dan nuestros enemigos y el que en muchas circunstancias les damos nosotros. Una crítica profunda de nuestra naturaleza, de nuestra manera de pensar, de sentir y de vivir, es la única posibilidad que tenemos de devolverle al habla su sentido más alto, limpiar esas palabras que tanto usamos sin acaso vivirlas desde adentro, sin practicarlas auténticamente desde adentro, sin ser responsables de cada una de ellas desde lo más hondo de nuestro ser. Sólo así esos términos alcanzarán la fuerza que exigimos en ellos, sólo así serán nuestros y solamente nuestros. La tecnología le ha dado al hombre máquinas que lavan las ropas y la vajilla, que les devuelven el brillo y la pureza para su mejor uso. Es hora de pensar que cada uno de nosotros tiene una máquina mental de lavar, y que esa máquina es su inteligencia y su conciencia; con ella podemos y debemos lavar nuestro lenguaje político de tantas adherencias que lo debilitan. Sólo así lograremos que el futuro responda a nuestra esperanza y a nuestra acción, porque la historia es el hombre y se hace a su imagen y a su palabra.

Hablar de los problemas de la cultura es en sí mismo un problema cultural, con todos los riesgos que supone estar situado en el interior del terreno que se busca conocer. No siendo un antropólogo cultural sino un escritor de ficciones, lo que alcanzo a vislumbrar en este campo está teñido de literatura y acaso sólo sea literatura; si de todos modos me interrogo sobre la cuestión, lo hago porque soy un escritor latinoamericano y eso supone, cuando se lo es honestamente, pensar y actuar en un contexto donde realidad geopolítica y ficción literaria mezclan cada vez más sus aguas. Felizmente, creo, porque hablar de cultura desde una de las dos orillas no me parece que conduzca a nada que no sea abstracto e inoperante.

Aclaración sobre lo que precede: Desde hace un cuarto de siglo, los escritores latinoamericanos leídos apasionadamente por un número de lectores que no cesa de multiplicarse, han sido o son aquellos para quienes la literatura constituye una de las tentativas de hacer frente a la cuestión de la identidad cultural de sus pueblos y contribuir con las armas de la invención y la imaginación a volverla cada vez más honda y más completa. Es cosa sabida que una gran mayoría de lectores latinoamericanos, al «descubrir» por fin a sus propios autores, ha dado un paso adelante en el descubrimiento de su propia identidad cultural. Las literaturas foráneas, módulos y ejemplos en la primera mitad del siglo —que hasta en eso era un siglo colonial— comparten hoy un vasto espectro de lecturas en el que han cesado de ser el color dominante. Y si la calidad literaria requerida para ese ajuste ha sido innegablemente muy grande en los escritores vernáculos, sobran las pruebas de que las calidades ficcionales no hubieran bastado para mover el fiel de la balanza; el lector latinoamericano, incierto en cuanto a su identidad profunda y dado con la misma incertidumbre a todos los vientos de la imitación y los prestigios foráneos, empezó a conocer hacia los años cincuenta una literatura próxima y por decirlo así personal, en la que bruscamente se miró como en un espejo que lo llamaba o lo repelía, buscaba su contacto o lo denunciaba. Porque en esa literatura subyacía no sólo el trasfondo de lo latinoamericano sino su crítica, la exhumación de lo olvidado o desconocido, y la indagación de raíces menospreciadas o sustituidas por influencias exteriores.

Se ve entonces por qué hablé de la fusión de realidad geopolítica y de ficción literaria, sin la cual nuestra literatura hubiera seguido siendo solamente eso, literatura, vehículo de solaz estético y de cultura desarraigada. Pero a la hora de seguir buscando los motores operantes en el proceso de la cultura, el panorama de los escritores se detiene brutalmente frente a barreras que los antropólogos y los etnólogos conocen mejor que ellos. De este lado de la barrera —que abarca esencialmente los sectores urbanos, y el del mestizaje en su conjunto—, el hecho de hacer una literatura que sea al mismo tiempo un sistema de interrogaciones y respuestas con respecto a los valores nacionales en toda su gama social, política, ética y estética, ha determinado una creciente toma de conciencia que gravita ya innegablemente en el proceso histórico de nuestros pueblos, pese a las fuerzas regresivas para quienes ese proceso vale tan sólo como su coto de caza por derecho propio. Y sin embargo, ¿qué magnitud real puede tener esa toma de conciencia histórico-cultural cuando se piensa en el inmenso sector indígena y, dentro del área del mestizaje, el rural? Basta imaginarlo para sentirse totalmente extrañado en un continente que es el nuestro pero en el cual sólo ocupamos culturalmente una ínfima parcela, aunque sea la que domina económica y políticamente y se propone como una totalidad que a nadie engaña.

Entonces, ¿tiene sentido seguir hablando de identidad y de cultura nacionales frente a un mosaico de heterogeneidades como el que presenta América Latina, incluido por supuesto el Brasil? ¿Tiene sentido hablar de culturas nacionales cuando en la gran mayoría de los casos la cultura del poder —mestiza y urbana— coexiste con otras estructuras culturales diferentes y a veces hasta violentamente opuestas? Sí, en la medida en que optemos por una decisión selectiva, y una esperanza intercultural a largo plazo; pero cuando a un escritor latinoamericano le plantean el tema de la cultura universal, se encoge de hombros: demasiadas barreras conoce en su propio país como para entrar en una proyección sin duda necesaria, pero que para él es tan remota como vertiginosa.

Todo esto suena negativamente, y sin embargo el escritor conoce también los lados positivos de ese segmento de tarea cultural que le ha tocado cumplir desde que dejó de entender la literatura como un puro ejercicio artístico. Su inserción contemporánea en los procesos geopolíticos le ha permitido descubrir la posibilidad de despertar ecos dormidos, imágenes subyacentes, formas y herencias telúricas que los procesos de colonialismo primero, y de aculturación foránea más tarde, habían sumido en un limbo del que apenas asomaban fragmentariamente en el folklore, las artes, las conductas y los temperamentos. La literatura así entendida y practicada hace pensar en la rama de avellano del rabdomante: los manantiales, las venas metálicas están siempre ahí, y bastaba mostrarlos para que sus legítimos dueños los recuperaran. A los españoles suele asombrarles la forma y la intensidad con que los novelistas latinoamericanos han asumido el habla de sus países, como si esto no fuera a la vez prueba e instrumento de su adhesión a los valores culturales sobre los cuales jugarán después todos los niveles posibles de la lengua, todas las experiencias y los sincretismos y las invenciones. Lo positivo está en llevar a sus últimas consecuencias, dentro del pequeño sector a su alcance, esa catalización de fuerzas auténticas, de valores propios; la cultura es más contagiosa que los elefantes, y el día en que los procesos históricos latinoamericanos de signo negativo (pienso sobre todo en los del Cono Sur) sean sustituidos por los que emanen de la cultura profunda de los pueblos, lo ya conseguido en un pequeño sector nacional se comunicará espontáneamente a los otros sectores, en la medida en que caigan las barreras de todo tipo que hoy los aíslan. Esto ya ocurre en alguna medida, aunque bajo un signo harto más negativo que positivo: la televisión urbana deja su impronta en las zonas rurales más aisladas, sin hablar de los periódicos, el cine y otros eventuales vehículos de cultura; pero éstas son cosas que la Unesco conoce de sobra y mucho mejor que yo.

Aquí una digresión sólo en apariencia literaria. Cuando se habla de cultura en América Latina, no puedo dejar de pensar en la obra de José Lezama Lima como su paradigma a la vez secreto y resplandeciente. Sin decirlo jamás de manera expresa, la novelística de Lezama parece estar indicando a nuestros escritores el sentido más hondo de esa tarea en que están empeñados desde hace un cuarto de siglo. Porque todavía más allá y más adentro de esa fusión de lo imaginativo con la realidad histórica, al escritor latinoamericano le cabe llevar hasta sus últimas consecuencias la difícil búsqueda y el cateo de todas las fuentes de la savia nacional. En Lezama la vertiginosa exploración cultural en sus formas más complejas y universales coexiste con la realidad cubana más entrañable; pero en esa simultaneidad, y ahí está la lección nunca dicha, ninguna forma o nivel de cultura es visto como superior a los otros. Maravilla la naturalidad con que Lezama pasa de una visión platónica o de un comentario erudito sobre Omar Kayam a la enamorada descripción de una receta de cocina, de un vestido de novia o de un juego de niños. En eso, creo, reside la intuición más profunda de una cultura sin las jerarquías casi escolásticas que tanto mal nos han hecho. A nuestra literatura, si ha de seguir siendo útil para la causa de la cultura, le toca darse como una empresa de catalización; al sumirse de lleno en nuestra realidad, la transmutará en la redoma verbal que a su vez la transmitirá en su forma más unitiva y totalizadora; puesto que lo que llamamos cultura no es en el fondo otra cosa que la presencia y el ejercicio de nuestra identidad en toda su fuerza.

Sí, pero...

Se me perdonará la torpeza cuando digo que recorro los temarios de tantas reuniones consagradas a la cultura sin encontrar jamás una referencia tácita o explícita a lo que llamaré en abstracto *la función del poder*. Supongo que de eso se habla o se trata entre líneas, pero frente a enunciados que exponen la cultura como «in vitro», se siente la necesidad de preguntarse cómo se puede tratar de cultura y sociedad, de políticas culturales y de cooperación cultural entre tantos otros temas y problemas, sin plantearse previamente el del poder en sus formas presentes y activas, llámense imperialismo, políticas hegemónicas, nacionalismos agresivos, etc.

Sin entrar en lo concreto, que nadie desconoce: Cuando se habla de «políticas culturales», ¿no sería tiempo de hacer frente al problema inverso, es decir al de las culturas de las políticas? Desde siempre, toda política, como latencia casi universal de la voluntad de poderío, sólo acepta y apoya una cultura que favorezca sus fines, ya sea una parte de la propia cultura nacional o de alguna otra análoga y por tanto conveniente. Lo que traba los mecanismos y las finalidades del poder, es denunciado y combatido como formas negativas de la cultura. Llevar el debate a la esfera de la política (aunque sólo sea platónicamente, pero Platón sigue teniendo una inmensa fuerza en el campo del espíritu), parecería una de las condiciones básicas para que las políticas de la cultura alcanzaran alguna vez su plena eficacia. ¿Por qué no una conferencia sobre el tema?

Vista desde fuera, América Latina puede dar una impresión general de unidad dentro de la diversidad; el trasfondo indígena de sus culturas, sobre el que viene a insertarse la marea de la conquista (lo blanco, lo europeo, específicamente lo español y lo portugués), son elementos aglutinantes que imprimen su marca en el conjunto de las naciones latinoamericanas.

Vista desde ella misma, sin embargo, esa unidad se reduce sólo a lo lingüístico (si el portugués difiere del español, la diferencia es sólo parcial con respecto a lo que significarían lenguas como las eslavas o las asiáticas). Fuera de ese denominador común, la unidad es una ilusión o, mejor, una realidad escamoteada, escondida, disimulada y sistemáticamente combatida por quienes sostienen el viejo y eficaz principio de «dividir para reinar». En este terreno coinciden los intereses imperialistas y alienantes que a lo largo de la historia han ejercido su influencia en nuestras naciones, y los intereses internos de los sistemas sociales y políticos basados en criterios de nacionalismo estrecho, de diferenciación desdeñosa con respecto a los países vecinos. Los niños argentinos son educados para que desconfíen de los chilenos y los brasileños, y viceversa; el deporte, barómetro de los pueblos, abunda cotidianamente en ejemplos de una rivalidad que fácilmente asume la dimensión del odio. El sueño de Simón Bolívar —los Estados Unidos de América Latina— es realmente eso, un sueño.

Al igual que muchos revolucionarios, la gran mayoría de nuestros intelectuales tiene plena conciencia de esta balcanización nefasta, y si alguna importancia asume el hecho de escribir y publicar en América Latina, ello se debe a que poco a poco, pasando por muchas etapas, la labor de los escritores empieza a iluminar la conciencia de los pueblos en este terreno, a mostrarles que por debajo de fronteras y banderas minuciosamente trazadas y agitadas por los nacionalismos imperantes, existen raíces comunes entre nosotros, algo que no solamente es una comunidad lingüística sino también histórica si entendemos la historia no tanto como mero pasado sino como preparación y previsión del futuro. En este sentido los escritores más significativos, desde los tiempos de nuestras luchas libertadoras —pienso en un José Martí en Cuba, en un Domingo Faustino Sarmiento en Argentina, entre muchos otros— hasta los contemporáneos —poetas como Pablo Neruda o novelistas como Asturias o García Márquez— se caracterizan a pesar de sus enormes diferencias por un rasgo común que es precisamente el de buscar nuestra identidad latinoamericana, nuestra verdad profunda como pueblos y como individuos, destruyendo máscaras y mentiras, liquidando prejuicios y tabúes, mostrando o creando los elementos necesarios para que los diferentes pueblos reconozcan cada vez más que participan de una misma y profunda corriente telúrica e histórica que los une en vez de separarlos, que los llama a comprenderse en vez de atrincherarse en fronteras belicosas y en slogans chauvinistas.

Inútil es agregar que estamos muy lejos de haber alcanzado una noción clara de esa identidad —de la que debería desgajarse automáticamente la noción de unidad profunda, de unidad dentro de las particularidades y las diferencias—. Estamos muy lejos porque vivimos tiempos de desunión y de discordia, pero por ello mismo la presencia y la irradiación espiritual de los mejores escritores latinoamericanos tiene un sentido positivo que, unido a las corrientes políticas de auténtica liberación popular, nos llevará un día a nuestro terreno común, a nuestra gran patria latinoamericana, esa enorme casa de muchas habitaciones en la que los pueblos habitarán un día como habita una familia en su casa: conociéndose, hablándose, queriéndose.

¡QUÉ POCO REVOLUCIONARIO SUELE SER EL LENGUAJE DE LOS REVOLUCIONARIOS!

Compañeros:

Hubiera querido leer personalmente este mensaje; hubiera querido estar hoy entre ustedes. Un calendario cada vez más exigente y un tiempo cada vez menos elástico me lo impiden. Si este mensaje me acerca de alguna manera a este Encuentro, me sentiré menos culpable de una ausencia personal que tanto me duele a la hora en que amigos y compañeros se reúnen en ese gran recinto querido de la Casa de las Américas. Que estas pocas palabras sean también, como siempre, mi mano tendida.

Como todos ustedes, he firmado el escueto, claro y terminante Llamamiento por los Derechos Soberanos y Democráticos de los Pueblos de nuestra América, en torno al cual se articula este Encuentro. Creo que pocas veces se ha dicho tanto en dos párrafos, y que su contenido no sólo es una síntesis de nuestra situación actual frente al asedio que nos hostiga, sino una escuela práctica, un vademécum de la acción que nos reclama como protagonistas, un punto de mira para las múltiples armas de la inteligencia y la sensibilidad de los escritores, los intelectuales y los artistas de América Latina y el Caribe.

Precisamente por ser tan conciso y directo, ese Llamamiento incita a que cada uno de nosotros lo despliegue dentro de una dialéctica que lo enriquezca y lo vuelva más eficaz y más dinámico; su breve texto es como una ventana, limitada por su marco pero a través de la cual los ojos avizores pueden abrirse al inmenso horizonte de nuestras tierras, de nuestros pueblos, de nuestros destinos. De pie ante esa ventana, mirando hasta donde me es posible alcanzar, veo lo que también ustedes estarán viendo, el panorama casi siempre desolado y desolador de pueblos enteros sometidos a lo que el Llamamiento califica de campaña de intimidación y desinformación manipulada por los intereses imperialistas de los Estados Unidos de Norteamérica (y no de América, como tantas veces traducen ellos y sus escribas el nombre de su nación).

Pero al mismo tiempo que veo ese panorama, veo también otras cosas que el Llamamiento no ha incluido en su enunciado. Pienso que no lo ha hecho por dos motivos principales: el primero, para concentrar la atención en el factor capital que constituye lo que él mismo llama una nueva forma de guerra de nuestros enemigos; el segundo, porque descuenta que cada uno de nosotros sabe que ese factor no es desgraciadamente el único que conspira cóntra la identidad profunda y el destino histórico de nuestros pueblos. Por mi parte, creo necesario explicitar la presencia de ese segundo enemigo que de alguna manera me parece todavía más peligroso y repugnante que el primero; estoy hablando del enemigo interno, de las fuerzas reaccionarias que de manera abierta o embozada operan en el interior de cualquiera de los países latinoamericanos y caribeños sometidos al ataque abierto del imperialismo norteamericano.

Cada día siento más la necesidad de clarificar conceptos que muchas veces se manejan sin el rigor crítico suficiente, y uno de esos conceptos es el de pueblo cuando se tiende a emplearlo como una totalidad positiva frente al enemigo exterior, sin precisar que nuestros pueblos más oprimidos lo están en gran medida por razones fratricidas, sin admitir con suficiente claridad que una parte de esos mismos pueblos son el terrible caballo de Troya de los Estados Unidos en cada uno de sus países: Chile, Argentina, Uruguay, Paraguay, Bolivia, El Salvador, Guatemala, para nombrar solamente a países donde esa evidencia salta a la vista, son trágicos ejemplos de esa Alianza para el Retroceso; pero también hay otros en los que la misma traición a nuestro destino se da de maneras más encubiertas pero igualmente nefastas.

Denunciar no sirve de mucho si inmediatamente no se proponen medios que puedan neutralizar ese componente de la guerra que no dudo en calificar de fratricida. No soy yo quien puede inventar o mostrar esos medios, pero sí, dando un paso atrás, absolutamente necesario, indicar por lo menos algún punto de vista que pueda ayudar a quienes, desde los puestos de mando y los liderazgos auténticamente nuestros, buscan crear el terreno más favorable para que los pueblos oprimidos y vejados se liberen por fin de sus enemigos de fuera y de dentro. Ese punto de vista reclama imperativamente una crítica severa, incluso despiadada, de todos los prejuicios mentales, los vocabularios desvitalizados, las nociones maniqueas que a través de discursos, medios de comunicación, propaganda política y consignas partidarias, suelen distanciarnos de una realidad que es necesario enfrentar cada vez más lúcidamente si no queremos sustituir el sistema de mentiras del enemigo por un sistema de ilusiones igualmente negativo.

En muchos de nuestros países oprimidos por regímenes implacables, una parte de esa opresión se basa en un deliberado confusionismo ideológico, en la explotación de los sentimientos nacionales y patrióticos a favor de las malas causas, y en la deformación de toda propuesta ideológica progresista que es inmediatamente presentada como un atentado a la soberanía y a la libertad. Frente a ese trabajo intelectual del enemigo externo e interno, realizado con una destreza que sería absurdo negar puesto que sus efectos saltan a la vista, ¿estamos hoy seguros de oponerle en todos los casos un lenguaje político y ético capaz de transmitir ideas nuevas, de transportar una carga mental en la que la imaginación, el desafío, y yo diría incluso y necesariamente la poesía y la belleza, estén presentes como fuerzas positivas e iluminadoras, como detonadores del pensamiento, como puentes de la reflexión a la acción? Desde luego, todos conocemos textos, discursos y mensajes que cumplen admirablemente esa misión de llevar a nuestros pueblos una verdad cargada de vida y de futuro; pero a cambio de algo que todavía sigue siendo una excepción, ¡cuánta retórica, cuánta repetición, cuánta· monotonía, cuánto *slogan* gastado! ¡Qué poco revolucionario suele ser el lenguaje de los revolucionarios!

Es obvio que esta disyuntiva entre la reiteración y la renovación nos concierne directamente a nosotros, los que redactamos llamamientos, los que publicamos libros o poemas, los que hablamos en las tribunas o escribimos en los periódicos. De nosotros depende que los vastísimos sectores populares actualmente confundidos o engañados por la brillante manipulación informativa norteamericana y la no menos hábil que emana de los sectores cómplices del interior, vean con creciente claridad el panorama que los rodea, analicen con mayores recursos mentales las encrucijadas y las opciones, y se pongan en condiciones de enseñar a los indecisos y a los ingenuos a distinguir entre una propaganda disfrazada de información y una información precisa y enriquecedora. A nosotros, los que hemos elegido hacer de la palabra un instrumento de combate, nos incumbe que esa palabra no se quede atrás frente al avance de la historia, porque sólo así daremos a nuestros pueblos las armas mentales, morales y estéticas sin las cuales ningún armamento físico conduce a una liberación definitiva.

Este Llamamiento que hoy nos reúne tiene la enorme eficacia de su brevedad, y sé que se abrirá paso como un grito de alerta en muchas conciencias. También así, como el follaje naciendo en torno de este texto central, de este Encuentro pueden nacer nuevas formas de contacto y nuevas intuiciones para la reflexión y la acción, y es tarea nuestra proyectarlas con su máxima fuerza hacia quienes las necesitan y las esperan en este tiempo de mentiras, de engaños y de falsos caminos. Bueno es decirlo una vez más: las revoluciones hay que hacerlas en los individuos para que llegado el día las hagan los pueblos.

EL LECTOR Y EL ESCRITOR BAJO
LAS DICTADURAS EN AMÉRICA LATINA

No creo demasiado en los congresos de escritores, y muy pocas veces he participado en ellos. Si estoy aquí es porque una reunión tan prestigiosa constituye una buena plataforma para, digamos, tirar por elevación; lo que quisiera decir no se dirige fundamentalmente a ustedes, con quienes puedo y debo tener otro género de diálogo y de contacto, sino que gracias al puente de los *mass media* es posible llegar desde aquí al público en general, en mi caso particular al público de América Latina, y especialmente al de mi país, la República Argentina.

Hace algunos meses asistí a la reunión internacional de escritores que se celebra anualmente en Montreal, y frente a su tema, *El escritor y el lector,* opté por una fórmula inversa que me parece la única positva en nuestro trabajo intelectual, es decir, *El lector y el escritor.* Casi todos los mensajes significativos llegan al público por la vía de la escritura; discutir entre nosotros, los intelectuales, es útil y necesario, pero lo que de veras cuenta en la coyuntura histórica actual es la paulatina proyección de todo eso en la conciencia de quienes por razones harto conocidas y harto desesperantes constituyen una especie de tercer mundo del pensamiento. Como latinoamericano, esta presencia éticamente acusadora de un tercer mundo mental determina en mí una mala conciencia que muchos otros escritores comparten, y que no se resuelve por la vía de las comunicaciones de alto nivel o los debates entre colegas. Pero al mismo tiempo sé que tampoco las intervenciones en un mero plano de combate político constituyen la tarea esencial de un escritor para quien la poesía, la ficción y la experimentación en el plano de la escritura son la razón esencial de su trabajo y el trabajo de su razón. Lograr un equilibrio, una viabilidad entre ambas cosas, es una empresa tan ardua como exasperante: no hay que extrañarse entonces de que en la mayoría de los casos los escritores se dividan entre aquellos que optan por la literatura política y los que se encierran en la creación pura. Pero en América Latina, y me refiero especialmente a los países del Cono Sur, esta doble posibilidad de opción choca contra una realidad que la rechaza; porque frente a grupos minoritarios de lectores para quienes la literatura militante o la literatura pura constituyen respectivamente una respuesta satisfactoria, se alza una abrumadora mayoría de lectores para quienes la lectura literaria debe colmar a la vez una profunda necesidad lúdica y una preocupación inmediata, *hic et nunc,* por una identidad auténtica, una dignidad y una libertad individual y colectiva que los enemigos de fuera y de dentro le niegan.

Si esta situación general del lector y del escritor puede hacerse extensiva a muchísimos países pertenecientes a todas las regiones del globo, pienso que actualmente alcanza su punto más crítico en el Cono Sur de América Latina. Deliberadamente desposeídos de sí mismos, como individuos y como comunidades, los pueblos de Argentina, Chile, Uruguay, Paraguay y Bolivia (sin olvidar a Brasil, amordazado desde hace tantos años) se encuentran en la situación de prisioneros, a quienes no solamente se prohíbe la comunicación con el exterior, sino incluso con sus compañeros de cautiverio. Por eso, sin ignorar que este enfoque del problema concierne a millones de hombres en el planeta, y dentro de ellos a millares de intelectuales residentes en sus país o exilados de ellos, hago hincapié en mi propia nación y me sitúo, al igual que tantos otros, como un latinoamericano exilado que no puede ni quiere proseguir su trabajo de escritor al margen de ese infierno cotidiano. Durante más de veinte años he vivido en Europa por voluntad propia, porque hacerlo significaba una plenitud individual sin cortar por eso las raíces con mi nacionalidad: el hecho de sentirme hoy un exilado forzoso no modifica en nada mi actitud y mi trabajo. Como tantos latinoamericanos que escribieron y escriben en español a miles de kilómetros de sus patrias, mantengo el contacto con mis hermanos prisioneros o vilipendiados, escribo para ellos porque escribo en su idioma, que siempre será el mío. Busco, junto con tantos otros, la manera de llevarles aliento y contribuir a su liberación. Si hoy hablo aquí es por eso y no por razones de gregarismo literario; hasta el final, los lectores contarán infinitamente más para mí que los escritores.

No hay que hacerse ilusiones sobre el número total de los lectores latinoamericanos; con la sola y admirable excepción de Cuba, es insignificante en relación con las grandes masas total o parcialmente analfabetas. Pero dentro de ese panorama más que negativo, es perceptible en estos últimos veinte años el aumento, a veces vertiginoso, del número de lectores que siguen de cerca la obra de nuestros escritores, y entre ellos predominan largamente los que buscan en esa lectura algo más que distracción u olvido. Su lectura es cada vez más crítica y más exigente, y tiende a incorporar la literatura a un terreno de experiencia concreta, de testimonio y de acción. Al leer está como leyendo en sí mismo y en lo que lo rodea; al terminar cada libro, despierta como el Viejo Marinero de Coleridge, *más triste y más avisado*; triste por las razones geopolíticas que todos conocemos de sobra, y avisado porque nuestra literatura es cada vez más capaz de ayudarlo a comprender y a actuar frente a esas razones. De esto daré un simple ejemplo, que por desgracia puede multiplicarse hasta el vértigo. El año pasado publiqué en España un libro de cuentos, que debía ser editado simultáneamente en Argentina. El así llamado Gobierno de mi país hizo saber al editor que el libro sólo podría aparecer si yo aceptaba la supresión de dos relatos que consideraba agresivos para el régimen. Uno de ellos se limitaba a contar, sin la menor alusión política, la historia de un hombre que desaparece bruscamente en el curso de un trámite en una oficina de Buenos Aires; ese cuento era agresivo para la junta militar porque diariamente en Argentina desaparecen personas de las cuales no se vuelve a tener noticias. La desaparición ha reemplazado ventajosamente el asesinato en plena calle o al descubrimiento de los cadáveres de incontables víctimas; los Gobiernos de Chile y de Argentina, y los comandos paralelos que los apoyan, han puesto a punto una técnica que, por un lado, les permite fingir ignorancia sobre el destino de los desaparecidos, y por otro lado prolonga, de la manera más horrible, la inútil esperanza de parientes y amigos. Tal ha sido, puesto que estamos entre escritores, el destino de un novelista argentino llamado Haroldo Conti, y tal ha sido el de otro novelista llamado Rodolfo Walsh. Pero citar dos nombres conocidos es dejar caer dos gotas de agua en un recipiente lleno hasta el borde de otros nombres casi siempre ignorados en nuestros círculos, nombres de obreros, de militantes políticos, de sindicalistas, a los que puede agregarse una interminable nómina de abogados, médicos, psiquiatras, ingenieros, físicos; casos como el del rector de la Universidad de Bahía Blanca, y el de las religiosas francesas que ocuparon largamente las columnas de la prensa europea son también minoría frente a una realidad que puede haber disminuido o no frente al peso de la presión internacional, pero que está lejos de haber desaparecido, porque las condiciones que permiten esas desapariciones se mantienen invariables; baste saber que el jefe de la junta militar argentina se retirará del ejército para seguir, como civil, al frente del Gobierno hasta 1981; militares o civiles, las figuras de la baraja siguen siendo las mismas, los responsables siguen y seguirán siendo los mismos.

El segundo relato prohibido narraba una visita clandestina que en 1976 hice a la comunidad de Solentiname, en el gran lago central de Nicaragua. Nada hay en él que pueda ofender directamente a la junta argentina, pero todo en él la ofende porque dice la verdad sobre lo que sucede hoy en tantos países latinoamericanos; y ese relato fue además tristemente profético, pues un año después de haberlo escrito, las tropas del dictador Somoza arrasaron y destruyeron esa pequeña, maravillosa comunidad cristiana dirigida por uno de los grandes poetas latinoamericanos, Ernesto Cardenal. No me excuso por citar trabajos míos; son el mero espejo de tantas otras censuras que amordazan a escritores y lectores en nuestros países. Es verdad que los escritores encontraremos siempre la manera de escribir y hasta de publicar; pero del otro lado del muro están los lectores, que no pueden leernos sin riesgo; del otro lado están los pueblos, cuya sola información es la oficial; del otro lado hay una generación de niños y de adolescentes que, como en el caso de Chile, están siendo «educados» para convertirlos en perfectos fascistas, en defensores automáticos de las grandes palabras con las que se disfraza la realidad: la patria, la seguridad nacional, la disciplina, el orden, Dios, y la lista es larga. Son ellos, y no los intelectuales, los que cuentan hoy para mí; los pescadores y los campesinos de Solentiname, los niños chilenos, los desaparecidos y torturados de Argentina y de Uruguay, todos y cada uno de los círculos del infierno que es el Cono Sur latinoamericano. Y no como temas literarios, por cierto, pero sí como la razón profunda que todavía puede llevarme a escribir, a estar más cerca, a no creerme del todo inútil.

Conocemos, por desgracia, el grado muy relativo de eficacia que tienen los escritores frente a los desbordes del poder en cualquiera de sus formas, y por eso, aunque he hecho estas referencias imprescindibles a la situación en el Cono Sur, no es en ella donde quiero poner el acento, sino ahondar en esta dialéctica del lector y el escritor como parte capital de nuestro oficio. Los valores culturales o espirituales de esa relación son obvios; lo que no siempre está claro es la medida en que tienen sentido si el escritor o el lector los desligan del resto de los valores que determinan la situación del hombre en cuanto individuo y en cuanto miembro de una colectividad y de un pueblo. ¿Cuál es, y sobre todo, cuál debe ser la incidencia del trabajo creador en esa situación? La equivalencia optimista de la cultura con la libertad y la felicidad se ha venido al suelo hace rato junto con otros mitos del humanismo; pero eso no nos ha liberado, en cuanto escritores, de una responsabilidad hacia el lector. Si ya no respondemos a la noción mesiánica del romanticismo, si ya nadie cree con Shelley que el poeta es el primer legislador, nuestro trabajo se sitúa en una región más inmediata, y por qué no decirlo, más turbia, una región donde el lector se presenta como una confusa mezcla de inteligencia, sensibilidad, inserción histórica y política, autenticidad y alienación, pregunta y espera, silencio o clamor.

El lector de antaño esperaba los libros que la predilección o el azar iban trayendo a sus manos; el lector de hoy, de muchas maneras directas e indirectas, los reclama. Un escritor latinoamericano que alcance un cierto renombre y sea conocido por sus posiciones democráticas, vive asediado por una correspondencia postal que en buena parte va más allá del comentario crítico, puesto que contiene un deseo y una voluntad de diálogo que nada tienen que ver con la pasividad admirativa de otros períodos de la historia y de la literatura. Ese reclamo del lector al autor, que muchos de nosotros conocemos diariamente (a veces con alegría, a veces con temor y temblor) no es ya un reclamo exclusivamente literario; ya no tenemos lectores como aquellos que le escribían a Charles Dickens para que no hiciera morir a una heroína muy querida. El reclamo del lector latinoamericano es, sobre todo, personal; es una demanda y una espera de responsabilidad por parte del escritor. En muchos casos, por supuesto, se trata de incorporarlo a un sector político; pero lo que cuenta de veras es otra cosa, es esa casi terrible ansiedad por hacer coincidir cada vez más una predilección literaria con una conducta que aproxime en todos los planos al autor con respecto al lector. Desde luego el escritor ha dado ya el primer paso en la medida en que su obra y/o su definición política son lo bastante claras como para que el lector sepa a quién le escribe y es obvio que, por ejemplo, un lector argentino consciente de lo que significa el régimen de la Junta Militar no va a gastar el precio del franqueo para escribir a Jorge Luis Borges. Pero ese primer paso, esa primera definición del escritor no son nunca suficientes para la mayoría de nuestros lectores; sus cartas, sus preguntas, contienen mucho más que un testimonio de cercanía en un terreno que excede con mucho el de la literatura; esa demanda liga al lector con el escritor en un terreno no sólo de cultura, sino de destino, de avance en común hacia el cumplimiento de un ideal de libertad y de identidad. Como es simple imaginar, esa búsqueda de contacto del lector con escritores de su continente multiplica la desconfianza y la cólera de las dictaduras hacia los unos y los otros; cuando la Junta de Pinochet quemó millares de libros en las calles de Santiago, estaba quemando mucho más que papel, mucho más que novelas y poemas; a su siniestra manera quemaba a los lectores de esos libros y a quienes los habían escrito.

Ese precario y ansioso puente entre el lector latinoamericano y el escritor, esa evidente espera de algo que rebase o que circunde lo puramente literario, acrecienta nuestra mala conciencia en la medida en que hoy ya no basta con dar el máximo de nuestras posibilidades como escritores; al margen y acaso como consecuencia de ese esfuerzo que ha producido tantos admirables frutos en América Latina (mal que les pese a esos comisarios de la inteligencia que reclaman una literatura «sencilla» para gentes «sencillas»), el lector también espera de nosotros otras formas de comunicación y de presencia. Fácil sería responder a esa esperanza con una demagogia literaria, con el paternalismo de quien se toma por el pastor espiritual de su pueblo, pero los lectores que buscan en nosotros algo más que narradores o poetas no son lectores pasivos, no son los suscriptores del *Reader's Digest* o los devoradores obedientes del *best-seller* del mes; aun los más modestos o los más ignorantes de entre ellos intuyen otra cosa en la literatura, buscan libros capaces de extrañarlos, de sacarlos de sus casillas, de ponerlos en nuevas órbitas de pensamiento o de sensibilidad, y además buscan que los autores de esas obras, cuando son sus compatriotas, estén cerca de ellos en el plano de la historia; su demanda es una demanda de hermandad.

En México, en Venezuela, en Costa Rica, he dado conferencias sobre literatura ante un vasto público formado principalmente por estudiantes universitarios y jóvenes escritores. A la hora de los diálogos, cada uno de ellos se dirigía a mí como un lector, pero un lector angustiado y ansioso, un lector para quien lo literario es parte de la vida y no del ocio, parte de la política y de la historia. Nunca sentí con más fuerza la diferencia entre ese tipo de lector latinoamericano y el de aquellas culturas donde la literatura guarda todavía una función primordialmente lúdica; entre nosotros escribir y leer es cada vez más una posibilidad de actuar extraliterariamente, aunque la mayoría de nuestros libros más significativos no contengan mensajes expresos ni busquen prosélitos ideológicos o políticos. Escribir y leer es una manera de actuar, porque en la dialéctica lector-autor que he tratado de esbozar, el lector tiende a rebasar el límite de la literatura que ama y a vivirla existencialmente, como parte de su experiencia vital. Nada hay de gratuito o de aleatorio en que la literatura de nuestros países haya alcanzado un público tan relativamente vasto como el de estos últimos veinte años. En la obra de escritores como Neruda, Asturias, Carpentier, Arguedas, Cardenal, García Márquez, Vargas Llosa y muchos otros, el lector encontró más que poemas y más que novelas y cuentos, sin que esos libros contuvieran necesariamente mensajes explícitos. Encontró signos, indicaciones, preguntas más que respuestas, pero preguntas que ponían el dedo en lo más desnudo de nuestras realidades y de nuestras debilidades; encontró huellas de la identidad que buscamos, encontró agua para beber y sombra de árboles en los caminos secos y en las implacables extensiones de nuestras tierras alienadas. Pero además encontró a los autores en ese terreno de hermandad y de contacto que el lector reclama y que ellos, los escritores que he citado y tantos otros, le dieron y le siguen dando por caminos y por conductas que tocan a su responsabilidad de latinoamericanos, de individuos inmersos en una historia que asumieron y asumen sin rehuir ninguna de sus responsabilidades como escritores y como individuos.

Las oportunidades de asumir esa actitud global no le faltan al escritor, yo diría que desgraciadamente, puesto que casi siempre se trata de enfrentar el oprobio, la violencia y hasta el genocidio físico y cultural. En estos días los periódicos anuncian que el embajador de Estados Unidos ha entregado a la Junta Militar argentina una lista de los prisioneros políticos recopilada por sus servicios de información, y que alcanza a un total de 10.000 personas. La ironía, que es uno de los atributos más fecundos de la literatura, encuentra aquí un terreno de elección; irónico es, en efecto, que esa enorme lista sea proporcionada por un país cuyo credo imperialista y cuyos procedimientos de apropiación y de opresión en América Latina son de sobra conocidos. Irónico es que un sistema capaz de contribuir decisivamente a la caída del régimen democrático de la Unidad Popular en Chile busque actualmente esclarecer el monstruoso asesinato de Orlando Letelier, y que después de haber favorecido abiertamente tantas dictaduras militares en Argentina, se indigne ahora del número de presos políticos en el país. Ocurre que el olvido no sólo es una necesidad higiénica en el hombre, sino también un innoble escamoteo de la verdad; por eso quisiera remitir a los olvidadizos a las actas del Tribunal Bertrand Russell II, que durante varios años recogió testimonios aplastantes sobre la intervención norteamericana en los países de América Latina. Lo hago además para mostrar que los escritores pueden, en muchas ocasiones, responder con actos tangibles a esa demanda de sus lectores de que hablé antes. En los trabajos del Tribunal Russell estuvieron presentes como miembros del jurado tres intelectuales latinoamericanos cuya obra literaria nada tiene que ver con el proselitismo o los mensajes políticos que tantas veces se exige a los escritores; me refiero a Armando Uribe, poeta y diplomático chileno; a Gabriel García Márquez, y a mí mismo. Pienso que a muchos de nuestros lectores, ese largo trabajo de denuncia y de testimonio les habrá confirmado lo que esperan de un escritor además de sus libros; en todo caso, sé que puedo seguir escribiendo mis ficciones más literarias sin que aquellos que me leen me acusen de escapista; desde luego, esto no acaba ni acabará con mi mala conciencia, porque lo que podemos hacer los escritores es nimio frente al panorama de horror y de opresión que presenta hoy el Cono Sur; y, sin embargo, debemos hacerlo y buscar infatigablemente nuevos medios de combate intelectual. Este Congreso del Pen Club me permite hoy vehicular un mensaje que será minuciosamente interferido por la censura de mi país y la de los países vecinos, pero que, como ocurre siempre, se abrirá paso hasta llegar a quienes aman la literatura, leen nuestros libros y esperan de nosotros algo más que bellas historias, algo más que estilos depurados, algo más que palabras impresas.

Contrariamente a muchas opiniones escépticas, estoy cada vez más convencido de la importancia y de los resultados positivos que tiene el trabajo de los intelectuales en América Latina con referencia a los procesos populares de liberación. Esto no significa pensar —como se acostumbraba en el siglo XIX— que ese trabajo sea todopoderoso, y que el intelectual cumpla el papel de «legislador de la humanidad» como lo dijo Shelley de los poetas en pleno período romántico. Muy al contrario, frente al desborde del poder armado en sus formas más opresoras, y del neocolonialismo basado en la fuerza económica, la función del intelectual no puede decidir por sí misma el destino de nuestros pueblos.

Sin embargo, basta una simple mirada sobre el proceso social y político de estos últimos decenios para advertir hasta qué punto los intelectuales responsables e identificados con el auténtico derrotero de sus compatriotas influyen en las conciencias, diseminan y ahondan el sentimiento de la identidad nacional, y cumplen un trabajo de avanzada que ilumina los caminos a seguir tanto desde el punto de vista de los políticos progresistas como de los que absorben ese trabajo en forma de ensayos, novelas, poemas, teatro, cine, televisión, y obras musicales y plásticas de la más variada naturaleza.

En el llamado Cono Sur esta presencia iluminadora del intelectual identificado con la causa popular se da en estos años desde dos polos opuestos: el interno y el del exilio. Se ha buscado equivocadamente establecer diferencias y barreras entre estos dos polos, y muchos intelectuales han perdido su tiempo en inútiles discusiones sobre la importancia de trabajar dentro o fuera de sus respectivos países. Pero como ocurre siempre, hay alguien que no se engaña: el lector en su acepción más amplia de receptor de cultura. Y ese lector, sea argentino, uruguayo o chileno —entre otros— ha recibido con la misma intensidad el producto de la labor de quienes la cumplen dentro del territorio nacional o desde los lugares más remotos donde tantos escritores, científicos y artistas se han visto obligados a refugiarse. En realidad, los pueblos del Cono Sur conocen en estos años un doble exilio igualmente penoso: el exterior y el interior. En el primero un intelectual dispone de toda su libertad para trabajar aún en las circunstancias más difíciles; en el segundo, la censura y la amenaza permanente de los poderes opresores impiden la libre expresión de las ideas y obligan a un trabajo sigiloso, a una comunicación difícil y azarosa pero que casi siempre termina por abrirse paso y llegar al lector. Los que trabajamos desde fuera tropezamos con las barreras fronterizas, mientras que los exilados internos se topan con las barreras editoriales o publicitarias y las trabas de la censura. Pero pese a ese doble impedimento que tanta angustia provoca en todo creador intelectual, es más que evidente que los mensajes se abren paso por múltiples vías, y que en estos últimos años han cumplido una tarea de concienciación social y política que los opresores temen y persiguen, pero que no pueden impedir.

Estamos lejos de poseer la fuerza y la eficacia que quisiéramos, y no es extraño que muchos se llamen al silencio o se dediquen a trabajos intelectuales sin duda útiles pero que no contribuyen al proceso de protesta y de concienciación que puede y debe llevarnos a nuestra liberación definitiva. Porque además no se debe olvidar que aparte de las barreras de la opresión existe en América Latina otra barrera aún más temible y desesperante: la imposibilidad en que se encuentran enormes masas populares de acceder a los productos culturales que podrían ayudarlas a pensar por sí mismas, a elevarse en su conciencia política, a ir descubriendo las raíces más auténticas de su identidad nacional y latinoamericana. Me refiero, naturalmente, al enorme porcentaje de analfabetismo que sigue dándose en la gran mayoría de nuestros países; y no es gratuito ni casual que las dos revoluciones que han sacudido el continente en estos últimos decenios —la cubana y la nicaragüense— hayan comenzado su etapa de liberación más profunda basándose en vastas campañas de alfabetización cuyos efectos se han hecho sentir de inmediato. La conquista del poder es una cosa, pero de nada sirve si no se ve inmediatamente acompañada por la conquista de una conciencia cultural y política en los niveles populares. Un intelectual cubano o nicaragüense sabe hoy que cualquiera de sus obras será leída por un número de lectores que sigue siendo impensable en países como Perú y Bolivia. En una auténtica revolución, la alianza de los dirigentes políticos y de los intelectuales es la única fuerza capaz de llevar adelante un proceso popular en el que la soberanía nacional tenga su base en la soberanía cultural, y en el que la autodeterminación exista en el nivel del estado porque existe como conciencia individual.

En la Argentina, para referirme específicamente a un país cuyas características difieren en muchos aspectos de los de otros países latinoamericanos, el número de quienes pueden absorber los productos intelectuales dista de ser satisfactorio, pero alcanza sin embargo para que nuestra labor tenga repercusiones significativas. Esto se ha visto sobre todo después de la siniestra y estúpida guerra de las Malvinas, que paradójicamente ha tenido (como tantos otros hechos históricos de este mundo) una consecuencia positiva. Si hemos vuelto a perder *sine die* la soberanía sobre un trozo de nuestro país, hemos ascendido un peldaño en la conciencia nacional, que por un lado ha mandado al tacho de basura las últimas ilusiones que algunos podían hacerse sobre la función de las fuerzas armadas, y por otro han mostrado casi de inmediato la ansiedad y el deseo de absorber de todas las maneras posibles el material cultural del que se había visto privada durante años como consecuencia del doble exilio interior y exterior que mencionábamos antes. En estos últimos meses se han publicado en la Argentina centenares de obras antes prohibidas, y si la censura trata aún de frenar ese «destape» incontenible, poco puede ni podrá hacer frente a la sed de conocimiento y de participación que se advierte en los lectores argentinos. Libros prohibidos se agotan ahora en pocas semanas, y basta leer una revista o un diario para darse cuenta de la diferencia con respecto a la etapa precedente. No, no hemos perdido el tiempo quienes contra viento y marea, dentro y fuera del país, hemos continuado nuestro trabajo; como los antiguos veleros, el viaje hacia esa Ítaca que es la Argentina ha encontrado vientos y tempestades, pero al igual que Ulises nuestra barca llega a puerto y es recibida con la alegría de todo reencuentro entre hermanos. Y aunque esa barca parezca muy pequeña al lado de los poderes armados, de los dólares imperiales y de las fracciones reaccionarias y opresoras que nos acosan, hay algo en ella que no puede ser detenido, hay ese sentimiento de libertad y de autenticidad que no sólo contiene nuestro presente sino que empieza a construir el futuro de todo el continente latinoamericano.

EL ESCRITOR Y SU QUEHACER
EN AMÉRICA LATINA

Si estas páginas suenan como una conferencia, será por culpa
mía y lo lamentaré mucho. Subo a esta tribuna en torno
a la cual se reúnen tantos amigos queridos y admirados,
con el estado de ánimo del que entra en una casa o en un
café donde esos amigos lo esperan para charlar. Pero me
conozco lo bastante como para saber que el solo hecho de
estar en un estrado que me sitúa físicamente por encima
de los demás —a pesar de que esto también me pasa casi
siempre al nivel del suelo—, basta para privarme de toda
espontaneidad oral y hasta de toda coherencia; incapaz de
improvisar una línea discursiva, me veo precisado a escribir lo que hubiera preferido exponer con esa soltura que
admiro en tantos otros. Por eso, si empiezo por justificar
la necesidad de estos folios, quisiera que nadie lo tome como
una vanidad estilística; estoy hablando con ustedes y no
leyendo una conferencia.

Hace años que muchos de los aquí presentes enfrenta-
mos el problema que motiva esta reunión, y particularmente
el que me atribuye el temario: el quehacer del escritor en
América Latina. No es necesario reiterar nociones que se
han vuelto muy claras para todo intelectual responsable,
entendiendo por responsabilidad la conciencia de la libertad
y de la autodeterminación de nuestros pueblos y la decisión
de participar en el proceso que los lleve a ellas o las con-
solide si ya están logradas. Viejas polémicas sobre el llamado compromiso del escritor se ven hoy felizmente supe-
radas por una problemática concreta: ¿Qué hacer además

de lo que hacemos, cómo incrementar nuestra participación en el terreno geopolítico desde nuestro particular sector de trabajadores intelectuales, cómo inventar y aplicar nuevas modalidades de contacto que disminuyan cada vez más el enorme hiato que separa al escritor de aquellos que todavía no pueden ser sus lectores? Por poco dotados que estemos muchos de nosotros en el terreno práctico —y creo que somos mayoría, y que no cabe avergonzarse puesto que nuestra práctica es otra—, a nadie puede escapársele ya la importancia de esta etapa en la que los análisis teóricos parecen haber sido suficientemente agotados y abren el camino a las formas de la acción, a las intervenciones directas. Como ingenieros de la creación literaria, como proyectistas y arquitectos de la palabra, hemos tenido tiempo sobrado para imaginar y calcular el arco de los puentes cada vez más imprescindibles entre el producto intelectual y sus destinatarios; ahora es ya el momento de construir esos puentes en la realidad y echar a andar sobre ese espacio a fin de que se convierta en sendero, en comunicación tangible, en literatura de vivencias para nosotros y en vivencia de la literatura para nuestros pueblos.

El puente, como imagen y como realidad, es casi tan viejo como el hombre. Un poema ha sido siempre un puente, como una música o una novela o una pintura. Lo que es menos nuevo es la noción de un puente que partiendo de un lugar habitado por esas novelas, esas pinturas y esas músicas, se tienda hacia otra orilla donde nada de eso ha llegado o llega verdaderamente. Los puentes que tienden los editores, por ejemplo, unen a los escritores con los lectores, pero más allá de las zonas de ese tráfico se abren los páramos de la soledad y de la incomunicación, quizá en menor escala en un país como éste, pero en proporciones pavorosas en el conjunto de América Latina. Y por eso la noción de quehacer, que nos reúne hoy aquí, parte obligadamente de algo que las ilusiones urbanas, los humanismos elitistas y las buenas conciencias intelectuales prefirieron ignorar o escamotear, de la misma manera que tantos gobiernos y tantas políticas se atrincheran en el circuito de las capitales y los centros urbanos, marginándose de la inmen-

sidad de los pueblos que los rodean en un silencio de ignorancia, de opresión, de incomunicación, de extranjería por
decirlo así.

Hace tres semanas yo estaba todavía en Nicaragua, donde
una vez más fui a reunirme con quienes conocen mejor que
nadie los efectos de esta hipócrita noción de cultura, de
esta discriminación que una dinastía de tiranos practicó a
base del viejo principio de que la ignorancia de los muchos
facilita el enriquecimiento de los pocos. Desde hace tres
años, el gobierno sandinista dedica el máximo de sus posibilidades a eliminar el analfabetismo como primer peldaño
para incorporar la totalidad del pueblo a una conciencia
de la existencia humana que se diversifique en todos sus
aspectos intelectuales, estéticos y políticos. No es por azar
que en ese gobierno haya escritores de la talla de Ernesto
Cardenal, de Sergio Ramírez, y catadores de la belleza plás-
tica y de la poesía como Miguel d'Escoto y Tomás Borge,
que uno de sus jóvenes comandantes guerrilleros, Omar
Cabezas, publique un libro donde el testimonio de la lucha
contra Somoza se alía a una eficacia literaria poco frecuente
en el género, y que una pléyade de escritores y artistas
colabore estrechamente en las duras tareas cotidianas de ese
pequeño país amenazado cada vez más por los Estados Unidos y sus cómplices. No es por azar que sean ellos los que
están tendiendo los primeros puentes intelectuales entre la
ciudad y el interior, entre los creadores limitados hasta
hace poco a los lectores previsibles, y esa masa que de día
en día y paso a paso ha empezado a descubrir que la vida
no es sólo sobrevivir, que el trabajo no tiene por qué terminar en el espeso sueño de cada noche, y que pensar es
mucho más que dar vueltas en la cabeza las ideas recibi-
das, los atavismos y los prejuicios.

Si aludo aquí a Nicaragua con algún detalle, es porque
la noción de quehacer se vuelve más imperiosa cuando se
está en contacto directo con una de las muchas realidades
latinoamericanas en las que nuestro trabajo es necesario y
urgente. Para empezar, los intelectuales nicaragüenses me
dan cada vez más la impresión de estar articulando su obra
vocacional con las múltiples actividades que cumplen públi-

camente como dirigentes, administradores o simples interlocutores en los incesantes encuentros, mesas redondas, reuniones de información y manifestaciones populares. Y si esto sólo parece factible en un contexto de reestructuración revolucionaria como el de Nicaragua, sirve sin embargo para mostrar por contraste hasta qué punto en otros países el escritor vive pegado a una especie de etiqueta que lo distingue de los demás, y para preguntarse en qué medida nuestro quehacer en cualquier lugar donde vivamos no consiste hoy en proyectarnos mucho más personalmente al escenario latinoamericano, físicamente cuando es posible o bien dando a nuestros trabajos nuevas características de difusión que, sin privarlos en absoluto de su índole natural propia, los inserten más y mejor en aquellos núcleos para quienes pueden ser útiles. Huelga decir que no estoy abogando por la facilidad, por la simplificación que tantos reclaman todavía en nombre de esa inserción popular, sin darse cuenta de que todo paternalismo intelectual es una forma de desprecio disimulado. Las vanguardias intelectuales son incontenibles y nadie conseguirá jamás que un verdadero escritor baje el punto de mira de su creación, puesto que ese escritor sabe que el símbolo y el signo del hombre en la historia y en la cultura es una espiral ascendente; de lo que se trata es que los accesos inmediatos o mediatos a la cultura se estimulen y faciliten para que esa espiral sea cada vez más la obra de todos, para que su ritmo ascendente se acelere en esa multiplicación en la que cada uno, hacedor o receptor, pueda dar el máximo de sus posibilidades.

Pero ya dije que habíamos dejado atrás las teorías y que ha llegado la hora de la acción. Por eso quisiera apuntalar esta voluntad de quehacer en la forma más tangible que las condiciones actuales permiten y sobre todo reclaman. Hace poco, en un discurso que todavía sigue levantando polvo en muchas palestras, el ministro de cultura de Francia afirmó en México que una cultura indisociada de las pulsiones más profundas de los pueblos —y eso no sólo incluye las idiosincrasias étnicas sino también las opciones históricas y políticas— no es verdaderamente la cultura. Si esta noción no es nueva, en cambio surge por primera vez con la fuerza que le da el ser proclamada por un gobierno dispuesto a llevarla a la práctica, lanzada como un desafío frente a las falsas culturas estabilizantes cuando no desestabilizantes, como de sobra las conoce y las sufre América Latina. Un punto de vista que hasta ahora parecía reservado a nuestro enclave intelectual y a su formulación restringida al libro, a la conferencia o a la clase magistral, irrumpe hoy como un golpe de lanza en el escenario más apropiado, el de un continente de culturas escamoteadas, de culturas sojuzgadas, de culturas aculturadas, de culturas ridículamente minoritarias y elitistas, de culturas para hombres cultos. Y por eso, cuando se me pide que hable de nuestro quehacer en este plano, digo simplemente que hay que superar la vieja noción de lo cultural como un bien inmueble e intentar lo imposible para que se convierta en un bien mueble, en un elemento de la vida colectiva que se ofrezca, se dé y se tome, se trueque y se modifique, tal como lo hacemos con los bienes de consumo, con el pan y las bicicletas y los zapatos.

¿Pero cómo?, me lo pregunto como imagino que muchos se lo están preguntando aquí. ¿Cómo podemos los intelectuales sacar la cultura de la «cultura», de su cáscara que definen los diccionarios y defienden los que todavía viven replegados en un elitismo mental que les parece inseparable de toda poesía, de toda creación?

Esta pregunta ha tenido ya un comienzo de respuesta a lo largo de los últimos años. Pocos son los escritores responsables en América Latina que, al margen de sus libros, no participan de una u otra manera en el proceso geopolítico de sus pueblos, tanto en forma directa como en el caso de los nicaragüenses ya citados, o bien cumpliendo actividades paralelas de información periodística (García Márquez es aquí el alto ejemplo), o de colaboración con organizaciones nacionales e internacionales que luchan por los derechos humanos y la autodeterminación de los pueblos, sin hablar de muchas otras tareas literarias y extraliterarias de solidaridad, de apoyo o de denuncia según los casos. Estas labores que cada día agrupan a un número mayor de intelectuales trabajando de consuno con juristas, dirigentes políticos, economistas y sociólogos, me parecen una primera etapa de sobra conocida, en la que acaso el Tribunal Bertrand Russell vale como símbolo dominante.

Sin embargo, esta creciente intervención intelectual en la materia misma de la historia y de los procesos populares latinoamericanos ha tenido hasta ahora un límite negativo, creado en parte por lo específico y especializado de esas actividades, y en parte por el bloqueo que los regímenes opresores de nuestro continente y su vigilante padrino norteamericano oponen a la irradiación de sus líneas de fuerza, del estímulo y la influencia que esas actividades podrían y deberían tener en los niveles populares. Es por eso que nuestro quehacer debe inventar nuevas formas de contacto, abrir otro espectro de comunicaciones en todos los niveles, y es ahí donde los estereotipos profesionales (digamos vocacionales si se quiere, pero agregando que escribir no es sólo vocación sino traslación, comunicación), es precisamente ahí donde nuestros estereotipos demandan una autocrítica profunda que no todos hemos sido capaces de hacer hasta ahora.

Lo que sigue podrá parecer pueril, pero si el viejo adagio dice que el niño es el padre del hombre, ¿por qué callarlo en nombre de una seriedad adulta que no siempre lleva a buen puerto? Se habrá advertido ya que me abstengo hoy de toda incursión o digresión literaria, y la única excepción estará destinada a marcar aún más esta distancia. Quisiera recordar solamente que en 1812 el poeta Shelley sintió exactamente lo que estamos sintiendo hoy aquí, y que su deseo de comunicar lo más ampliamente posible sus ideas revolucionarias lo llevó a echar botellas al mar y lanzar globos al aire con mensajes destinados a todo aquel que los encontrara. Su aparente excentricidad le valió los peores ataques del «establishment» de su tiempo, y el comienzo de una persecución política que debía conducirlo finalmente al exilio; y la peor acusación de sus enemigos fue la de puerilidad.

Cito aquí a uno de mis poetas más queridos, pensando que hace unos años, en una reunión de solidaridad para con el pueblo de Chile que se celebró en Polonia, propuse —supongo que con la misma puerilidad de Shelley— algunas actividades que podían reemplazar con ventaja tantas afirmaciones tribunicias que no siempre van más allá de las palabras y de quienes se conforman con ellas. Sugerí, por ejemplo, que en vez de lamentarse tanto por la censura impuesta por Pinochet a los libros editados en Chile o provenientes del extranjero, cada uno de nosotros se ingeniara para enviar paquetes de libros por vía marítima, que cuesta muy poco, a personas capaces de distribuir su contenido, y hoy sé que muchos jóvenes chilenos tuvieron y tienen oportunidad de leer lo que unos cuantos depositamos en el correo de la esquina de nuestra casa, como ahora lo estamos haciendo para el pueblo nicaragüense por razones muy diferentes pero igualmente necesarias. Aludí también a la posibilidad de perfeccionar las emisiones de onda corta con destino a Chile, Argentina y Uruguay, no sólo como vehículo de información fidedigna sobre todo aquello que los gobiernos de esos países escamotean y distorsionan (y la guerra de las Malvinas acaba de dar un ejemplo monstruoso de cómo se puede mentir a un pueblo incluso hasta después de la catástrofe final), sino también como presencia viva de escritores exilados cuya voz y cuya obra podría llegar a miles de oyentes sometidos a la censura de las publicaciones por escrito y de las radios o televisoras locales.

¿Es pueril, es insignificante todo esto? Muchos de nosotros hemos grabado cassettes que son introducidas fácilmente en nuestros países y que tienen un valor a la vez intelectual y político; y muchos hemos aprovechado las facilidades del video para multiplicar una presencia o por lo menos una cercanía. ¿Por qué escritores que se limitan específicamente a escribir artículos que casi nunca pueden entrar en sus países no toman contacto con equipos de video, cada vez más accesibles y numerosos en los sectores militantes latinoamericanos, para burlar fácilmente las barreras de la censura? Yo acabo de hacerlo para los combatientes salvadoreños, y sé de muchos compañeros que lo hacen para Guatemala, Argentina y Chile. Si es cierto que la imaginación es y será nuestra mejor arma para tomar el poder, entendiendo por poder una participación más estrecha y más eficaz en la lucha del pueblo por su identidad y su legítimo destino, nuestro quehacer tiene que articularse a base de técnicas más eficaces que las consuetudinarias, menos estereotipadas que las que emanan de nuestras tradicionales etiquetas de cuentistas, poetas, novelistas y ensayistas, y todo eso sin dar un solo paso atrás en lo que nos es connatural pero vehiculándolo de una manera capaz de llegar allí donde nunca llegará si seguimos en nuestro viejo circuito rutinario, por más bello, avanzado y audaz que sea en sí mismo.

Y por eso espero que a esta altura de lo que digo nadie sonreirá irónicamente si hago referencias a posibilidades tales como las tiras cómicas, así denominadas por una mala traducción del inglés y que sería mejor llamar relatos gráficos. Sabemos que los dibujos humorísticos de contenido satírico —eso que los anglosajones llaman *cartoons*— han probado desde hace siglos su eficacia política, incluso en países donde la censura se ensaña contra todo lo que considera serio pero se ve obligada a dejar pasar lo meramente cómico, tras de lo cual alienta una seriedad que el pueblo descifra y asimila infaliblemente. Por desgracia, es evidente que este arte tan importante no nos ha sido dado a los escritores, incapaces en la mayoría de los casos de imaginar un tema de ese tipo y mucho menos de dibujarlo. La tira cómica, en cambio, supone casi siempre la colaboración de un dibujante y un escritor; es como un cine inmóvil, un relato en el que participan la imagen y la escritura, el guión con todo su contenido intelectual y los personajes representados por una pluma capaz de darles vida y conectarlos con la sensibilidad del lector/espectador. Este género tiene magníficos exponentes en casi todos los países latinoamericanos, pero el trabajo individual de talentos como el de Rius en México, Quino en Argentina y tantos otros sin duda bien conocidos por ustedes, abre la posibilidad de multiplicar sus efectos si los escritores forman equipo con los dibujantes y llevan la tira cómica a dimensiones que no tienen por qué ser inferiores a los de la literatura narrativa. Hace unos años yo robé una tira cómica mexicana que me incluía con gran desenvoltura como uno de los personajes de las aventuras de Fantomas, una especie de «superman» idolatrado por millares de lectores populares, y con ayuda de amigos publiqué un falso equivalente cuyo verdadero fin era denunciar a las transnacionales y poner en descubierto las más sucias tareas de la CIA en América Latina. La edición se agotó en seguida gracias a Fantomas, por supuesto, que una vez más se metió por la ventana y no por la puerta de sus lectores, pero ahora con una finalidad muy diferente de las que le habían dado tanta fama en México.

Y ya que estamos en esto, ¿qué decir de esa otra plaga moderna, que podría ser convertida en un fascinante mensaje cultural, como es el caso de las fotonovelas? La asociación inteligente de escritores y fotógrafos abre un campo inmenso a la imaginación popular, pero ya sabemos lo que se publica hoy en revistas que embrutecen a millares de lectores ingenuos y llena los bolsillos de las transnacionales. Me quedaría por citar el arma más extraordinaria, más delirante, más operativa, la televisión. Alguien me dirá en seguida que ella, como el cine, está en manos del gran capital y que nadie accede a sus santuarios sin la censura previa de los lavadores de cerebros; pero es triste comprobar que en América Latina hay países como Cuba y Nicaragua, que tienen canales que son del pueblo y para el pueblo, y que sin embargo continúan obedeciendo en gran medida a la ley de la facilidad y del conformismo, simplemente porque los escritores, los artistas, todos nosotros con nuestras etiquetas, hemos sido incapaces hasta hoy de tomar por asalto esos reductos desde donde la verdadera cultura podría abrirse paso hasta los lugares más alejados y más desposeídos. Tal vez las únicas excepciones dignas en el terreno artístico sean el cine y el teatro, puesto que en América Latina se dan con un acento cada vez más revolucionario; es bueno poder decir que su ejemplo tiene un alto valor en esta hora en que nos preguntamos, siempre un poco desconcertados, por las formas posibles de nuestro quehacer intelectual.

Como bien saben los escritores, el azar es nuestro mejor Virgilio en este infierno histórico en que vivimos, y él me ha guiado en estos días hacia unas páginas del escritor venezolano Luis Britto García, que hablando en un encuentro celebrado en Managua en julio del año pasado, se refirió admirablemente a la incomunicación de la cultura en América Latina. De su ponencia quisiera citar estas líneas, que sólo él podía escribir con tanta lucidez, y que tras de referirse a la ofensiva de las transnacionales y de los medios de comunicación para alienar el espacio cultural latinoamericano, mostrando que la única cultura que ellas buscan en nuestro continente es la cultura imperialista que niega al ser humano, lo explota y lo discrimina, agregan lo siguiente: «Ello plantea, para el intelectual latinoamericano, la tarea de servirse de los medios de comunicación de masas, aún en aquellos países en los cuales no hay perspectivas revolucionarias inmediatas. Posiciones muy respetables han afirmado el derecho del creador a desligar su obra de toda militancia, en favor del contenido estético. Pensamos por el contrario, que la urgencia de la hora impone al intelectual una triple militancia: la de la participación en las organizaciones políticas progresistas; la de la inclusión del compromiso en el contexto de su obra, y la tercera militancia de batallar por la inserción de su obra en el ámbito real de los medios masivos de comunicación, anticipándose así a la revolución política que concluirá por ponerlos íntegramente al servicio del pueblo. Porque mientras la política no asegure la liberación cultural de nuestra América, la cultura deberá abrir el camino para la liberación política.»

Sé muy bien que podemos discutir los matices de esa triple militancia, y que por mi parte no creo que el compromiso deba ser una constante invariable en la obra de un escritor ni mucho menos, puesto que la pura ficción es también una levadura revolucionaria cuando procede de un autor que su pueblo reconoce como uno de los suyos. Pero sí creo con Britto García que nuestro quehacer tiene que abrirse en todas las direcciones posibles, según las vocaciones y las posibilidades de cada uno, y que desligar la obra de toda militancia es dar la espalda a nuestros pueblos en nombre de supuestos valores absolutos que el huracán de nuestro tiempo contemporáneo convierte en hojas secas y en olvido. De sobra sabemos que en América Latina hay escritores que no renuncian a la feria de las vanidades editoriales y a los galardones de la sociedad privilegiada que los adula, y que se obstinan en el anacrónico refugio de sus torres de marfil. Nada han hecho ni nada harán para evitar que un día pueda caer también sobre ellos el fuego del napalm o la bomba de neutrones; acaso creen, basándose en lecturas esotéricas, que el marfil los protegerá de las radiaciones.

Podría seguir proponiendo quehaceres, como por ejemplo el de la asociación de la música popular con textos que la salven de la sensiblería, el conformismo y la vulgaridad que sigue siendo en gran medida la norma comercial y que el público absorbe ingenuamente. Las llamadas canciones de protesta, así como las de la nueva trova cubana y las de muchos artistas españoles y de otros países, han mostrado ya el camino, y por mi parte sé que algunos tangos que hicimos en París con amigos argentinos y que obviamente fueron prohibidos en el Río de la Plata, viven hoy en la memoria de quienes los escucharon por vías clandestinas. Pero me detengo aquí, porque todo esto no es una lección para nadie sino una manera de concretar lo mejor posible una esperanza y traer algo más que ideas teóricas a una reunión que espera otra cosa de todos nosotros. Terminaré con otra esperanza, la de un quehacer fundamental que no puedo pasar por alto y que toca directamente a esa inmensa multitud de los latinoamericanos exilados en tantos pedazos del mundo. Si ese exilio ha de tener algún sentido, no será a base de negatividad, de todo lo que comporta de sufrimiento y de nostalgia, sino de una inversión total de valores que le den esa fuerza que hace temible al bumerang: la fuerza del regreso. Todo aquel que no haya renunciado a esa voluntad de regreso puede y debe poner su capacidad y su imaginación al servicio de su pueblo, y a los intelectuales se les abren no sólo posibilidades como las que he esbozado aquí, sino todas aquellas que puedan nacer de su propia invención, siempre capaz de saltar de la página escrita, de la novela o del poema, a la arena más que nunca inevitable y preciosa de la realidad latinoamericana, ese inmenso libro que podemos escribir entre todos y para todos.

Por más crueles que puedan parecer mis palabras, digo una vez más que el exilio enriquece a quien mantiene los ojos abiertos y la guardia en alto. Volveremos a nuestras tierras siendo menos insulares, menos nacionalistas, menos egoístas; pero esa vuelta tenemos que ganarla desde ahora, y la mejor manera es proyectarnos en obra, en contacto, y transmitir infatigablemente ese enriquecimiento interior que nos está dando la diáspora. Este seminario de escritores amigos, entre los cuales hay tantos exilados, ha nacido del generoso deseo de una universidad en tierra española que quiso acogerme en su seno y reunirme con todos aquellos que amo y respeto. Ella comprenderá mi gratitud si digo que mi esperanza más honda es la de que nuestro encuentro sea ya un momento útil en ese quehacer que nos preocupa. Porque no es la reunión misma la que tiene importancia sino su irradiación hacia una América Latina profundamente solitaria, la de millones de hombres para los cuales no hay reuniones, no hay libros, no hay puentes. Si cada uno de nosotros ayuda a proyectarla hacia nuestros pueblos por todos los medios a su alcance, no habremos venido inútilmente a Sitges, no habremos hablado para el silencio.

LA LITERATURA LATINOAMERICANA
DE NUESTRO TIEMPO

He pasado ya algunas semanas hablando de literatura latinoamericana con un grupo de estudiantes de esta universidad, y me alegra decir hoy ante ustedes, estudiantes o público en general, que el diálogo que he tenido y que sigo teniendo· en cada una de nuestras reuniones va mucho más allá de lo que hubiera podido imaginar antes de llegar aquí. Contrariamente a lo que algunos imaginarían, e incluso a lo que desearían por razones estrictamente académicas, mi diálogo con los estudiantes ha tenido una amplitud que va mucho más allá de esa simple curiosidad literaria que en otros centros de estudios es simplemente una curiosidad libresca o erudita que pretende entender una literatura moderna con los mismos criterios que se aplican para entender la poesía isabelina, el neoclasicismo alemán o el romanticismo francés. Confieso que al principio tuve miedo de que los estudiantes esperaran de mí algo parecido, pero bastó muy poco tiempo para que ellos y yo nos encontráramos en un terreno común, el de una literatura viviente y actual, una literatura que se sigue haciendo mientras hablamos de ella y que cambia y evoluciona·dentro de un contexto histórico igualmente cambiante. Lo que quisiera decir hoy aquí responde a ese contacto cada día más estrecho entre lo que se escribe y lo que está sucediendo en América Latina. Frente a la interacción e interfusión de la realidad histórica con nuestra producción literaria, mi deber como latinoamericano escritor es el de poner el acento en esos puntos de contacto, tantas veces. dejados de lado por quienes siguen pensando que una novela, un poema o un cuento, por el solo hecho de haber sido impresos e incorporados a las bibliotecas, quedan como aislados de su contorno, de su circunstancia, y solamente valen por lo que son como obra de creación imaginativa. Esto ni siquiera es cierto cuando se habla de los grandes clásicos, ya que los más minuciosos análisis estilísticos de su contenido tienen sólo un valor académico si dejan de lado las circunstancias y las razones que llevaron a un Virgilio, a un Shakespeare o a un Cervantes a escribir lo que escribieron; y no hablo solamente de sus motivaciones personales sino de las fuerzas que actuaron en torno de ellos en su tiempo, volviéndolos parte de un inmenso todo, de una realidad que su genio habría de traducir e incluso modificar como sólo puede hacerlo la más alta creación literaria y artística.

Más que nunca, en estas últimas décadas, un escritor latinoamericano responsable tiene el deber elemental de hablar de su propia obra y de la de sus contemporáneos sin separarlas del contexto social e histórico que las fundamenta y les da su más íntima razón de ser. En todo caso yo no estaría hoy aquí si tuviera que limitarme a comentar los productos literarios como entidades aisladas, nacidas tan sólo del mero y hermoso placer de la creación estética. Otros podrían hacerlo tanto mejor que yo, y además es bueno y necesario que lo hagan, porque la literatura es un diamante de múltiples facetas y cada una de ellas refleja un momento y una gama de la luz de la realidad exterior e interior, física y mental, política y psicológica. Pero los que escribimos hoy con un sentimiento de participación activa en lo que nos rodea, eso que algunos llamarán compromiso y otros ideología, y que yo prefiero llamar responsabilidad frente a nuestros pueblos, esos escritores no pueden ni quieren hablar solamente de libros sino de lo que está ocurriendo antes, durante y después de los libros en cualquiera de nuestros países. Si ningún hombre es una isla, para decirlo con las palabras de John Donne, los libros que cuentan en nuestro tiempo tampoco son islas, y es precisamente por eso que cuentan para sus lectores, que no tardan en distinguirlos de la literatura más convencional o más prescindente. Por eso, en lo que quiero decirles hoy, mi visión de la literatura latinoamericana de nuestros días será la de alguien para quien un libro es solamente una de las múltiples modalidades que asumen nuestros pueblos para expresarse, para interrogarse, para buscarse en el torbellino de una historia sin piedad, de un drama en el que el subdesarrollo, la dependencia y la opresión se coaligan para acallar las voces que nacen aquí y allá en forma de poemas, canciones, teatro, cine, pinturas, novelas y cuentos. Entre nosotros esas voces nacen muy pocas veces de la felicidad, en esas voces hay más de grito que de canto. Hablar de nuestra literatura dentro de esta perspectiva es una manera de escuchar esas voces, de entender su sentido y también —por lo menos es mi deseo como escritor— de sumarse a ellas en una lucha común por el presente y el futuro de América Latina.

Desde luego algunos pensarán que aproximar tan estrechamente la noción de realidad y de literatura es una perogrullada, en la medida en que toda literatura es siempre una expresión directa o indirecta de algún aspecto de la realidad. El solo hecho de que cualquier libro esté escrito en un idioma determinado, lo coloca automáticamente en un contexto preciso a la vez que lo separa de otras zonas culturales, y tanto la temática como las ideas y los sentimientos del autor contribuyen a localizar todavía más este contacto inevitable entre la obra escrita y su realidad circundante. Sin embargo, cuando se trata de obras de ficción como la novela o el cuento, los lectores tienden muchas veces a tomar los libros como quien admira o huele una flor sin preocuparse demasiado por la planta de la cual ha sido cortada. Incluso si nos interesamos por la biografía del autor y si el tema nos atrae como reflejo de un medio ambiente determinado, casi siempre ponemos el acento en la invención novelesca y en el estilo del escritor, es decir en sus rasgos específicamente literarios. Leemos por placer, y ya se sabe que el placer no tiene buena memoria y casi en seguida busca renovarse en una nueva experiencia placentera igualmente fugitiva. Es perfectamente legítimo que en general los lectores abran un libro para gozar de su contenido y no para tratar de adivinar lo que sucedía en torno al libro mientras su autor lo estaba escribiendo. Pero los problemas son muy diferentes en el caso de ese tipo de lectores que no solamente saborean el contenido de un libro sino que a partir de ese contenido se plantean diversas cuestiones que los preocupan más allá del placer literario en sí. Ese tipo de lectores es cada vez más frecuente en los países latinoamericanos, y responde a las características dominantes de nuestro tiempo en materia de comunicación. Vivimos en una época en la que los medios informativos nos proyectan continuamente más allá de nuestros contextos locales para situarnos en una estructura más compleja, más variada y más digna de nuestras posibilidades actuales de cultura. Abrir un periódico o la pantalla de la televisión significa entrar en dimensiones que se expanden en diagonal, iluminando sucesivamente diferentes zonas de la actualidad, con lo cual los hechos aparentemente más aislados terminan por ser vistos y apreciados dentro de un conjunto infinitamente variado que puede ayudar a comprenderlos mejor; y esto, ustedes lo saben, es evidente en materia de política mundial, de economía, de relaciones internacionales y de tecnologías. Y si es así, ¿por qué habría de escapar la literatura a esta ansiedad, a este deseo de abarcar no solamente los hechos sino sus interrelaciones? El libro que hoy llega a mis manos nació hace cinco o seis años en Guatemala o Perú o Argentina. Es obvio que puedo leerlo sin preocuparme por las circunstancias que lo motivaron o lo condicionaron, pero también es obvio que cada vez hay más lectores para quienes una obra literaria sigue siendo lo que es, un hecho estético que se basta a sí mismo, pero que al propio tiempo sienten como una emanación de fuerzas, tensiones y situaciones que la llevaron a ser como es y no de otra manera. Este tipo de lector cada día más frecuente en nuestros países, goza como cualquier otro con el contenido literario de un cuento o una novela, pero a la vez se asoma a ese contenido con una actitud interrogante; para él los libros que escribimos son siempre literatura, pero además son proyecciones *sui generis* de la historia, son como las flores de una planta que ya no puede ser ignorada puesto

111

que esa planta se llama tierra, nación, pueblo, razón de ser y destino.

Es así como a lo largo de las últimas décadas la noción de literatura ha asumido un matiz diferente tanto para la mayoría de los autores como de los lectores latinoamericanos. Para empezar, en esas décadas se ha producido la gran eclosión de una literatura resueltamente orientada hacia una búsqueda de nuestras raíces auténticas y de nuestra verdadera identidad en todos los planos, desde el económico hasta el político y el cultural. Si la ficción sigue siendo ficción, si las novelas y los cuentos continúan dándonos universos más o menos imaginarios como corresponde a esos géneros, es más que evidente que en la segunda mitad del siglo los escritores latinoamericanos han entrado en una madurez histórica que antes sólo se daba excepcionalmente. En vez de imitar modelos extranjeros, en vez de basarse en estéticas o en «ismos» importados, los mejores de entre ellos han ido despertando poco a poco a la conciencia de que la realidad que les rodeaba era *su* realidad, y que esa realidad seguía estando en gran parte virgen de toda indagación, de toda exploración por las vías creadoras de la lengua y la escritura, de la poesía y la invención ficcional. Sin aislarse, abiertos a la cultura del mundo, empezaron a mirar en torno y comprendieron con pavor y maravilla que mucho de lo nuestro no era todavía nuestro porque no había sido realmente asumido, recreado o explicado por las vías de la palabra escrita. Quizá uno de los ejemplos más admirables lo haya dado en este campo la poesía de Pablo Neruda cuando después de un comienzo semejante al de tantos otros poetas de su época, inicia una lenta, obstinada, obsesionante exploración de lo que lo rodeaba geográficamente, el mar, las piedras, los árboles, los sonidos, las nubes, los vientos. Y de ahí, avanzando paso a paso como el naturalista que estudia el paisaje y sus criaturas, la visión poética de Neruda ingresa en los hombres, en el pueblo tan ignorado por la poesía llamada culta, en su historia desde antes de la conquista española, todo lo que dará el paso prodigioso que va de *Residencia en la tierra* al *Canto general*.

Paralelamente a este avance de la poesía en una realidad casi siempre sustituida hasta entonces por nostalgias de lo extranjero o conceptos estereotipados, los novelistas y los cuentistas cumplieron derroteros similares, y podría decirse que el conjunto de los mejores libros en esta segunda mitad del siglo es como un gran inventario de la realidad latinoamericana, que abarca desde los conflictos históricos y geopolíticos hasta los procesos sociológicos, la evolución de las costumbres y los sentimientos, y la búsqueda de respuestas válidas a las grandes preguntas conscientes o inconscientes de nuestros pueblos: ¿Qué somos, quiénes somos, hacia dónde vamos?

Siempre he pensado que la literatura no nació para dar respuestas, tarea que constituye la finalidad específica de la ciencia y la filosofía, sino más bien para hacer preguntas, para inquietar, para abrir la inteligencia y la sensibilidad a nuevas perspectivas de lo real. Pero toda pregunta de ese tipo es siempre más que una pregunta, está probando una carencia, una ansiedad por llenar un hueco intelectual o psicológico, y hay muchas veces en que el hecho de encontrar una respuesta es menos importante que el haber sido capaz de vivir a fondo la pregunta, de avanzar ansiosamente por las pistas que tiende a abrir en nosotros. Desde ese punto de vista la literatura latinoamericana actual es la más formidable preguntona de que tengamos memoria entre nosotros, y ustedes, los lectores jóvenes, lo saben bien y si asisten a conferencias y lecturas literarias es para hacer preguntas a los autores en vez de solamente escucharlos como las generaciones anteriores escuchaban a sus maestros.

Leer un libro latinoamericano es casi siempre entrar en un terreno de ansiedad interior, de expectativa y a veces de frustración frente a tantos interrogantes explícitos o tácitos. Todo nos salta a la cara y muchas veces quisiéramos pasar a! otro lado de las páginas impresas para estar más cerca de lo que el autor buscó decirnos o mostrarnos. En todo caso ésa es mi reacción personal cuando leo a García Márquez, a Asturias, a Vargas Llosa, a Lezama Lima, a Fuentes, a Roa Bastos, y conste que sólo cito nombres mayores sobre los cuales todos podemos entendernos, pero mi reacción es la misma frente a novelas, cuentos o poemas de escritores más jóvenes y menos conocidos, que por suerte abundan en nuestros países.

Si los lectores que viven lejos de América Latina comparten cada vez más este deseo de valerse de nuestra literatura como una de las posibilidades de conocernos mejor en muy diversos planos, fácil les será imaginar hasta qué punto los lectores latinoamericanos, en cuya propia casa nacen todos estos libros, estarán ansiosos de interrogar y de interrogarse. Es aquí·que una nueva noción, yo diría un nuevo sentimiento de la realidad se abre paso en el campo literario, tanto del lado de los escritores como de sus lectores, que finalmente son una sola imagen que se contempla en el espejo de la palabra escrita y establece un maravilloso, infinito puente entre ambos lados. El producto de este contacto cada día más profundo y crítico de lo literario con lo real, del libro con el contexto en que es imaginado y llevado a término, está teniendo consecuencias de una extraordinaria importancia en ese plano que, sin dejar de ser cultural e incluso lúdico, participa cada vez con mayor responsabilidad en los procesos geopolíticos de nuestros pueblos. Dicho de otra manera, si en otro tiempo la literatura representaba de algún modo unas vacaciones que el lector se concedía en su cotidianeidad real, hoy en día en América Latina es una manera directa de explorar lo que nos ocurre, interrogarnos sobre las causas por las cuales nos ocurre, y muchas veces encontrar caminos que nos ayuden a seguir adelante cuando nos sentimos frenados por circunstancias o factores negativos.

Hubo una larga época en nuestros países en que ser político era algo así como una profesión exclusiva que pocas veces hubiera tentado a un escritor literario, que prefería delegar los problemas históricos o sociales en esos profesionales y mantenerse en su universo eminentemente estético y espiritual. Pero esta distribución de tareas ha cambiado en estas últimas décadas, muy especialmente en los países latinoamericanos, y eso se advierte sobre todo en el nivel de la juventud. Cada vez que me ha tocado hablar ante estudiantes universitarios o jóvenes en general, sea en los Estados Unidos, en Europa o en un país latinoamericano, sus preguntas sobre lo que podríamos llamar literatura pura se ven siempre desbordadas por las que me hacen sobre cuestiones tales como el compromiso del escritor, los problemas intelectuales en los países sometidos a regímenes dictatoriales, y otras preocupaciones en las cuales el hecho de escribir y leer libros literarios es visto dentro de un contexto que lo precede y lo desborda. Podemos decirlo sin ironía ni falta de respeto: para hablar exclusivamente de literatura latinoamericana hay que crear un ambiente bastante parecido al de una sala de operaciones, con especialistas que rodean al paciente tendido en la camilla, y ese paciente se llama novela o cuento o poema. Cada vez que me ha tocado estar en uno de esos quirófanos en calidad de espectador o de paciente, he salido a la calle con un enorme deseo de beber vino en un bar y mirar a las muchachas en los autobuses. Y cada día que pasa me parece más lógico y más necesario que vayamos a la literatura —seamos autores o lectores— como se va a los encuentros más esenciales de la existencia, como se va al amor y a veces a la muerte, sabiendo que forman parte indisoluble de un todo, y que un libro empieza y termina mucho antes y mucho después de su primera y de su última página.

Nuestra realidad latinoamericana, sobre la cual se ha ido creando cada vez más nuestra literatura actual, es una realidad casi siempre convulsa y atormentada, que con pocas y hermosas excepciones supone un máximo de factores negativos, de situaciones de opresión y de oprobio, de injusticia y de crueldad, de sometimiento de pueblos enteros a fuerzas implacables que los mantienen en el analfabetismo, en el atraso económico y político. Estoy hablando de procesos más que conocidos, en los que las minorías dominantes, con una permanente complicidad de naciones que, como bien lo saben los Estados Unidos, encuentran en nuestras tierras el campo ideal para su expansión imperialista, persisten en aplastar a los muchos en provecho de los pocos. Es en ese dominio manchado de sangre, de torturas, de cárceles, de demagogias envilecedoras, que nuestra literatura libra sus batallas como en otros terrenos los libran los políticos visionarios y los militantes que tantas veces dan sus vidas por una causa que para muchos parecería utópica y que sin embargo no lo es, como acaba de demostrarlo con un ejemplo admirable ese pequeño pueblo inquebrantable que es el pueblo de Nicaragua, y como está ocurriendo en este momento en El Salvador y continuará mañana en otros países de nuestro continente.

Por eso hay que subrayarlo muy claramente: Si por fortuna es cierto que en algunos países latinoamericanos la literatura no solamente puede darse en un clima de mayor libertad sino incluso apoyar resueltamente las mejores líneas conductoras de sus gobernantes, hay en cambio otros en los que la literatura es como cuando alguien canta en una celda, rodeado de odio y de desconfianza. Cada vez que un lector abre uno de los libros escritos dentro o fuera de esos países donde el pensamiento crítico y hasta la mera imaginación son vistos como un crimen, debería leerlo como si recibiera el mensaje de una de esas botellas que legendariamente se echaban al mar para que llevaran lo más lejos posible un mensaje o una esperanza. Si la literatura contiene la realidad, hay realidades que hacen todo lo posible por expulsar la literatura; y es entonces que ella, lo mejor de ella, la que no es cómplice o escriba o beneficiaria de ese estado de cosas, recoge el desafío y denuncia esa realidad al describirla, y su mensaje termina siempre por llegar a destino; las botellas son recogidas y abiertas por lectores que no solamente comprenderán sino que muchas veces tomarán posición, harán de esa literatura algo más que un placer estético o una hora de descanso.

A esta altura creo que un viaje que podemos hacer todos nosotros en lo concreto valdrá más que seguir acumulando ideas generales. Cabría por ejemplo hablar de realidad y literatura en la Argentina, sin olvidar que esta particularización admite por desgracia una gran cantidad de extrapolaciones igualmente válidas en diversos países de América

Latina, para empezar los vecinos del mío en eso que se da en llamar el Cono Sur, es decir Chile, Uruguay, Paraguay y Bolivia. Mi país, desde el punto de vista de la realidad histórica, ofrece hoy una imagen tan ambigua que, en manos de los profesionales de la política y de la información al servicio de las peores causas, es mostrada con frecuencia como un ejemplo positivo que muchas veces puede engañar a cualquiera que no conozca las cosas desde más cerca y desde más hondo.

Voy a resumir muy brevemente esa realidad. Después de un período turbulento y confuso, en el que la actual Junta Militar desató una represión implacable contra diversas tendencias liberadoras nacidas de la época igualmente confusa del peronismo, se ha entrado en una etapa de calma superficial, en la cual se está asentando y consolidando un plan económico que suele ser presentado con la etiqueta de «modelo argentino». Frente a las espectaculares realizaciones de este modelo, no solamente muchos argentinos mal informados o dispuestos a aprovecharse de la situación, sino también una parte considerable de la opinión pública internacional, consideran que se ha entrado en un período positivo y estable de la vida material e institucional del país. Por un lado, comisiones investigadoras como la de la Organización de los Estados Americanos han comprobado el terrible panorama que presenta una nación en la que solamente las personas desaparecidas alcanzan a quince mil, y en la que desde hace más de cinco años toda oposición teórica o activa ha sido aplastada en condiciones de violencia y salvajismo que van más allá de cualquier imaginación. Por otro lado, cumplida esta liquidación masiva de los opositores, con cientos de miles de argentinos exilados en Europa y en el resto de América Latina, y una incontable cantidad de muertos, desaparecidos y encarcelados, el aparato del poder ha puesto en marcha el llamado «modelo argentino» que simbólica e irónicamente comienza con un triunfo, el de la copa mundial de fútbol, y se continúa ahora en el campo de la industria pesada y el dominio de la energía nuclear.

Con la total falta de escrúpulos morales que caracteriza

a las inversiones económicas destinadas a producir enormes ganancias, países como los Estados Unidos, Canadá, la Unión Soviética, Alemania Federal, Francia y Austria entre otras, están concediendo importantes créditos y exportando complicadas tecnologías para la construcción de represas, plantas nucleares, fabricación de automóviles, sin hablar de la venta de materiales bélicos. Los informes y las conclusiones de las encuestas sobre la violación de los más elementales derechos humanos no modifican en nada esta afluencia destinada a convertir a la Argentina en una de las grandes potencias industriales y nucleares del continente. Una realidad diferente y deformante toma cuerpo, se alza como un escenario montado rápidamente y que oculta la base sobre la cual se asienta, una base de sometimiento y miseria de las clases trabajadoras, una base de desprecio hacia toda libertad de pensamiento y de expresión, una base cínica y pragmática que maneja un lenguaje patriótico y chovinista siempre eficaz en esos casos.

Por todo eso se comprenderá mejor que la literatura argentina, como la chilena y la uruguaya cuya situación es igualmente desesperada, sea una literatura que oscila entre el exilio y el silencio forzoso, entre la distancia y la muerte. Muchos de los mejores escritores argentinos están viviendo en el extranjero, pero algunos de entre los mejores no alcanzaron siquiera a salir del país y fueron secuestrados o muertos por las fuerzas de la represión; los nombres de Rodolfo Walsh, de Haroldo Conti, de Francisco Urondo están en nuestra memoria como una denuncia de ese estado de cosas que hoy se pretende hacer pasar como un modelo de presente y de futuro para nuestro pueblo. Sin embargo, en esas condiciones que es imposible imaginar peores, la producción literaria argentina mantiene un alto nivel cualitativo y cuantitativo; es más que evidente que sus autores y también sus lectores saben que si escribir o leer significa siempre interrogar y analizar la realidad, también significa luchar para cambiarla desde adentro, desde el pensamiento y la conciencia de los que escriben y los que leen. Así, aquellos que trabajan en el interior del país hacen lo posible para que su mensaje se abra paso frente a la censura y la amenaza, y los que escribimos y hablamos fuera de nuestro país lo hacemos para que cosas como las que estoy diciendo hoy aquí lleguen también a nuestro pueblo por vías abiertas o clandestinas y contrarresten en lo posible la propaganda del poder.

Creo que basta decir esto para que incluso el menos informado de los oyentes se dé clara cuenta de lo que representa hoy el exilio dentro del panorama de la literatura latinoamericana, un exilio que abarca a millares de escritores, artistas y científicos de países como el mío, Chile, Uruguay, Paraguay, Bolivia y El Salvador. Cuando se lee la producción literaria actual de esos países, es bueno que el lector empiece por preguntarse dónde está viviendo el autor de la novela o los relatos que tiene entre las manos, y en qué condiciones sigue cumpliendo su trabajo. Si lo que está leyendo le parece bueno, si su interés por nuestra literatura se mantiene vivo, su deber de lector es meditar sobre las circunstancias casi siempre negativas en que se está cumpliendo ese trabajo, esa lucha cotidiana contra la frustración, el desarraigo, las amenazas, la incertidumbre del presente y del futuro. Comprenderá entonces mejor lo que he querido decir hoy aquí: que si la literatura latinoamericana sigue creciendo, no sólo en aquellos países donde hay un terreno favorable para su desarrollo sino en cualquier rincón del planeta donde el huracán del odio y la opresión ha expulsado a tantos escritores, ello es la prueba definitiva de que esa literatura forma parte integrante de nuestra realidad actual más profunda, y que en sus mejores manifestaciones se da como una respuesta activa y beligerante a las fuerzas negativas que quisieran aplastarla a través del exilio o convertirla en un mero pasatiempo que disimule o esconda lo que sucede en tantos países de América. No es forzoso ni obligatorio que esa literatura del exilio tenga un contenido político y que se presente como una actividad principalmente ideológica. Cuando un escritor responsable da el máximo de sí mismo como creador, todo lo que escriba será un arma en este duro combate que libramos día a día. Un poema de amor, un relato puramente imaginario, son la más hermosa prueba de que no hay dictadura ni represión que detenga ya ese profundo enlace que existe entre nuestros mejores escritores y la realidad de sus pueblos, esa realidad que necesita la belleza como necesita la verdad y la justicia.

Por eso quisiera terminar estas simples reflexiones subrayando algo que espero haya asomado en lo que llevo dicho. Pienso que ahora está claro que esa dialéctica inevitable que se da siempre entre realidad y literatura ha evolucionado profundamente en muchos de nuestros países por la fuerza de las circunstancias. Lo que empezó como una gran toma de conciencia sobre las raíces de nuestros pueblos, sobre la auténtica fisonomía de nuestros suelos y nuestras naturalezas, es hoy en muchos países latinoamericanos un choque abierto contra las fuerzas negativas que buscan precisamente falsear, ahogar y corromper nuestra manera de ser más auténtica. En todos los casos, positivos o negativos, de esa relación entre realidad y literatura, de lo que se trata en el fondo es de llegar a la verdad por las vías de la imaginación, de la intuición, de esa capacidad de establecer relaciones mentales y sensibles que hacen surgir las evidencias y las revelaciones que pasarán a formar parte de una novela o de un cuento o de un poema. Más que nunca el escritor y el lector saben que lo literario es un factor histórico, una fuerza social, y que la grande y hermosa paradoja está en que cuanto más literaria es la literatura, si puedo decirlo así, más histórica y más operante se vuelve. Por eso me alegro de que ustedes encuentren en nuestra literatura el suficiente interés y fascinación como para estudiarla, interrogarla y gozar de ella; creo que en eso está la prueba de que a pesar del amargo panorama que la rodea en muchas regiones de nuestro continente, esa literatura sigue siendo fiel a su destino, que es el de dar belleza, y a la vez a su deber, que es el de mostrar la verdad en esa belleza.

Las inauguraciones, no sé bien por qué, tienen siempre un aire grave, una solemnidad que nunca me ha gustado. Después de todo, inaugurar algo es sacarlo de la nada para lanzarlo a la vida, y sería bueno recordar que los pediatras modernos nos han enseñado que el alumbramiento tradicional no tiene nada de bueno, y que es injusto recibir a un bebé con una ceremonia que empieza en forma de paliza para que el bebé se ponga a llorar y llene así de aire sus pulmones. Todos ustedes estarán de acuerdo en que hay inauguraciones tan graves, tan solemnes, casi tan amenazadoras, que constituyen una especie de paliza mental para los bebés que se lanzan a la vida de un congreso, un coloquio o un encuentro como el que estoy inaugurando de la manera que puede apreciarse. Resueltamente me alineo con los pediatras modernos y eso que nada me gusta menos que alinearme, porque estimo que nuestro bebé colectivo debe nacer sonriendo, saboreando desde el primer instante la felicidad de estar vivo. Eso no le quita nada a la gravedad y a la responsabilidad que deberá asumir el bebé cuando al término de esta inauguración descubra que ya es un hombre maduro, y que está aquí para ejercitar su madurez en la peligrosa arena de la realidad.

De acuerdo, puede ser que me digan mis compañeros del tribunal, pero este encuentro hay que inaugurarlo de una manera u otra, y a vos te ha tocado hacerlo. Por supuesto, puede ser que conteste yo, y la prueba es que ya llevo más de dos minutos inaugurándolo. Mi manera no será muy ortodoxa, pero precisamente por eso me parece una buena manera en la medida en que los participantes de este encuentro pertenecen a una especie humana que ha sido y es considerada tradicionalmente como la gente menos ortodoxa imaginable, tan poco ortodoxa que Platón, nada menos, empezó por echarlos de su República ideal, sin contar con que la Edad Media los quemó, decapitó o encarceló so pretexto de que pensaban cosas tan absurdas como que la tierra giraba en torno al sol, que la sangre circulaba en las venas, o que los dogmas tenían como principal defecto el de ser dogmáticos. Una reunión de intelectuales siempre me llena de asombro y maravilla, porque me parece una especie de milagro que esos intelectuales hayan aceptado ocupar una serie de asientos paralelos y concentrar sus miradas en una sola persona que habla. Es algo que está por completo fuera de sus costumbres más naturales, que consisten sobre todo en no tener costumbres naturales, razón por la cual se les ve muy poco juntos, cosa que acaso está muy mal pero que a su manera ha ido dando como resultado eso que llamamos ciencia y eso que llamamos literatura.

Mala butaca le toque al que piense que esto es una especie de apología encubierta del individualismo, primero porque el individualismo bien entendido no necesita ninguna apología, y segundo porque nada puede alegrarme más en este día que ver reunido a un grupo tan significativo de intelectuales norteños y latinoamericanos. El solo hecho de que hayan aceptado hacerlo, que hayan respondido al llamamiento de nuestro tribunal, representa la iniciación de un diálogo más que nunca necesario en las circunstancias actuales de la geopolítica de este continente. Si conseguimos que nuestro diálogo esté limpio de toda retórica, que sus acuerdos o desacuerdos sean el resultado de haber mirado de frente nuestra realidad en vez de envolverla en los sacos de plástico de las frases hechas, de las fórmulas estereotipadas y de los prejuicios, creo que todos volveremos a nuestras vidas y a nuestras actividades personales con algo de eso que el individualismo puro no puede dar jamás: la conciencia de una pertenencia, de una responsabilidad colectiva, y que por más solitario y especializado que pueda ser nuestro trabajo intelectual, la experiencia vivida en este encuentro será una de las fuerzas que obren en él a partir de ahora, una pulsión que lo vuelva cada vez más operante y más determinante en el proceso histórico de nuestros pueblos.

Y para eso hay que hablar con toda franqueza. Hay que hablar de reunión, claro está, pero sin olvidar, muy al contrario, haciendo frente al hecho de que es una reunión de dos grupos de intelectuales procedentes de dos regiones, la una formada por un solo país y la otra por más de veinte países, y que esas dos regiones se enfrentan desde hace muchas décadas en el plano político, económico y también cultural, este último en la medida en que la cultura suele ser un instrumento político y económico que tanto sirve a las buenas como a las malas causas.

Tenemos una inmensa ventaja inicial en este encuentro: la de que ninguno de nosotros se siente implicado en los turbios mecanismos de esas malas causas ya sea lo que tradicionalmente se llama el imperialismo norteamericano, ya sea la siniestra red de complicidades que en tantos países o regímenes latinoamericanos acepta vender y traicionar a sus pueblos por los treinta dineros del poder y de los privilegios económicos. Esa ventaja nos permite sentirnos próximos a pesar de las diferencias parciales que bien se irán viendo entre nosotros en estos días y que serán la levadura de nuestras discusiones. Aquí no estamos ni en las Naciones Unidas, ni en el Consejo de Seguridad, aquí no tenemos que cuidar nuestras palabras o sustituirlas diplomáticamente por otras. Pero a la vez pecaríamos de ingenuos si nos alegráramos demasiado de esa ventaja, porque ella encubre una realidad harto negativa. Nuestra libertad intelectual, nuestro derecho a discutir abiertamente entre nosotros, tiene mucho más de teórico y de abstracto que de operante y eficaz. En las máquinas del poder y del dinero, en la voluntad de dominación y de hegemonía, los intelectuales sólo pueden alzar su voz desde la calle, desde la soledad de sus libros y de sus tribunas minoritarias. Pocos son los que comparten la responsabilidad de los gobiernos, pocos son escuchados a la hora de las decisiones y de las estrategias.

Platón nos expulsó del sistema, de cualquier sistema,

y todavía no hemos conseguido volver a entrar en él. Si digo todavía es porque no creo imposible que alguna vez encontremos la manera de meternos en Washington, en Buenos Aires, en Asunción o en Santiago, por sólo citar cuatro ciudades particularmente ominosas. Al fin y al cabo el caballo de Troya es una invención de Homero, y no de Héctor o de Aquiles, ¿por qué entonces, no ver en esta reunión una de las etapas que puedan llevarnos a franquear las murallas que nos separan de los supuestos hacedores de la historia, esos hacedores que tantas veces la falsean, la deforman, la hacen retroceder hacia una barbarie tecnológica detrás de la cual es fácil entrever el retorno a las hachas de piedra, a las cavernas, a las hordas salvajes, a la ley de talión?

Alto a la elocuencia, esa falsa aliada de tantos congresos y reuniones llenos de sonido y de furia, etc. Digamos lo más llanamente posible que este encuentro insólito, y por eso mismo admirable, de intelectuales norteños y latinoamericanos, debería basarse en algunas evidencias que no siempre son lo bastante evidentes. Por ejemplo, todo buen diálogo debería partir de una cierta paridad cultural, de un conocimiento recíproco por parte de sus protagonistas. Y en este terreno pienso que nuestros amigos norteamericanos reconocerán que esa paridad no existe o sólo se da individualmente. Por razones casi obvias, los intelectuales latinoamericanos conocen el panorama cultural de los Estados Unidos en una medida muy superior a la que tienen los norteamericanos del nuestro. Para ser justos, a nosotros nos toca el trabajo más fácil: el de conocer a un solo país, en su continuidad literaria y cultural abarcable sin excesivo esfuerzo, mientras que para un norteamericano no tiene nada de fácil asimilar culturas tan claramente diferenciadas según se trate de México, Perú, Cuba o Argentina.

En segundo término, el rápido adelanto cultural y de los medios de comunicación en los Estados Unidos a lo largo del siglo pasado, impregnó profundamente a los intelectuales latinoamericanos que tradujeron y propagaron la obra de casi todos los escritores importantes de ese país, desde Emerson y William James hasta Edgar Allan Poe, Hawthorne, Melville, Walt Whitman, Mark Twain y tantos otros, y ya en nuestros tiempos asimilaron a veces demasiado obsesivamente a los escritores de talla de Hemingway, Faulkner y Scott Fitzgerald, sin hablar de esta literatura indirecta que significa el cine norteamericano, y de la atracción de su música más admirable, quiero decir el Jazz.

Frente a esa irradiación cultural, que en su primera etapa no tuvo nada de condenable desde un punto de vista geopolítico pues era simplemente la inevitable irradiación de un país altamente culto, la réplica latinoamericana fue obligadamente mucho más débil. En primer lugar, un preimperialismo tendió tempranamente sus redes desde el norte hacia el sur: el del idioma. Por razones de prestigio, de ambición económica, de adelanto técnico y también de admiración literaria, el inglés se ha vuelto una segunda lengua en las élites latinoamericanas, desplazando poco a poco al francés, la imagen cultural de los Estados Unidos ha entrado así profundamente en las clases más favorecidas de latinoamérica. En cambio, nuestra presencia cultural es mucho menor en los Estados Unidos. Y sólo en las últimas dos décadas puede decirse que el público norteamericano ha empezado a conocer a algunos de nuestros escritores, por lo demás traducidos al inglés aunque el español se esté estudiando y hablando cada vez más en su suelo. ¿Cuál es el resultado de ese desequilibrio? Que en una reunión como ésta, por ejemplo, y al margen de casos individuales, los latinoamericanos tenemos un espectro cultural de los Estados Unidos mucho más amplio que el que los norteamericanos tienen del nuestro.

Semejante estado de cosas puede dificultar nuestro diálogo, en la medida en que a lo largo de la segunda mitad del siglo la literatura se ha ido identificando cada vez más con la realidad histórica y política de nuestros pueblos, especialmente en América Latina. Nuestra mejor literatura de ficción, que a diferencia de la norteamericana en su conjunto hace de la ficción un trampolín para proyectar en primer plano una realidad que nada tiene de ficcional, es hoy en día el espejo más nítido y fidedigno de la larga y dura lucha de muchos pueblos latinoamericanos para ahondar en su identidad, para descubrir sus raíces auténticas, a fin de apoyar mejor los pies en la tierra en el momento de dar ese salto adelante que es la conquista o la reconquista de su soberanía y su autodeterminación. Ya lo verán aquí mismo, seguramente nuestros interlocutores harán frecuentes referencias a nuestra literatura porque ella es para nosotros una de las mejores armas en esa batalla contra lo que algunos llaman todavía el sueño norteamericano, y que sería mejor calificar de pesadilla norteamericana contra cosas como las tentativas de sometimiento cultural a base de propaganda y aculturación contra esa insidiosa vampirización que se ha dado en llamar el drenaje de cerebros y que nos priva de recursos mentales inapreciables simplemente porque no podemos competir en el plano de las ofertas y hasta de las tentaciones.

Pero si nuestro diálogo choca al principio contra el evidente desequilibrio informativo que he tratado de resumir, pienso que aquí estamos todos precisamente para llenar los vacíos y comunicarnos mutuamente lo mucho que nos falta saber a todos. Y en ese sentido quisiera decirles a los intelectuales latinoamericanos, como he empezado por decírmelo a mí mismo a lo largo de muchos años, que nada podría ser más equivocado que sentirnos inferiorizados porque nuestro trabajo literario y extraliterario no se conozca en los Estados Unidos con la amplitud que nosotros conocemos el que allí se lleva a cabo. Uno de nuestros peores defectos es el de responder a toda insuficiencia con un falso complejo de superioridad, y sentirnos ofendidos de que no se nos conozca lo suficiente en el extranjero. Cuando en Europa, donde me ha tocado vivir, oigo indignarse a algún latinoamericano porque los franceses o los alemanes ignoran la existencia de muchas de nuestras realidades culturales o políticas, me limito a decirle que la indignación es buena, pero que mucho mejor sería que la dedicara a difundir esa información cuya falta tanto lo ofende. Tenemos una triste tradición de lo que podríamos llamar las quejas de café, que jamás han servido para nada, ni siquiera para dar una buena conciencia. Aquí, y en estos días, 3 al 9, se ofrece una posibilidad extraordinaria de mostrar lo que somos y cómo somos, a la vez que nos enteramos de lo mucho que podrán decirnos nuestros homólogos del norte. Para eso —y lo adelanto con la alegría de saber que dentro de pocos minutos habré bajado de esta tribuna donde me siento demasiado solo—, tenemos ante nosotros los encuentros personales, el lobby del hotel, los excelentes tragos en que descuellan nuestros anfitriones mexicanos. Esta hermosa posibilidad de sentarse junto a un colega norteamericano para preguntar y para responder, para incorporar al temario oficial eso que nunca alcanzan a tener los temarios por más importantes que sean: la sonrisa cómplice, el cigarrillo cordial, el paseo por las calles, la charla espontánea que es siempre como un acuario lleno de estrellas de mar mentales y de peces insólitos. Así, hablando entre amigos, ha nacido mucho de la historia del mundo, las tribunas valen como trampolines, pero es en el agua de la piscina donde se miden las fuerzas, donde se llega antes o después a la meta, donde se conoce realmente la verdad.

Mientras digo estas palabras que buscan ser una bienvenida y a la vez una definición de las circunstancias en que se cumple este encuentro, en América Central y en el Caribe se espera de día en día la ejecución brutal de las amenazas y las bravatas que la administración Reagan multiplica contra Cuba y Nicaragua, a la vez que continúa dando créditos, armas y asesoría técnica a los gobiernos opresores de El Salvador y Guatemala, y presiona sobre Honduras y Costa Rica, para no mencionar a Panamá, a fin de cerrar inexorablemente la tenaza contra pueblos decididos a morir antes de renunciar a su libertad y a su soberanía. En estas últimas semanas la escalada ha entrado en una fase prácticamente operativa con la llamada Enmienda Symms, que faculta al presidente norteamericano a enviar tropas a América Central y al Caribe si lo estima conveniente, y lo que por ahora son simples maniobras militares en Honduras puede convertirse en cualquier momento en una acción directa contra Nicaragua. No hace falta mucho sentido del humor para ironizar sobre esa calificación de enmienda, palabra que tanto en inglés como en español tiene un sentido positivo de mejora, de perfeccionamiento, y que en este caso significa exactamente lo contrario, y tampoco hay que ser un Von Clausewitz para saber que si el gobierno de los EE.UU. pone en práctica la tal enmienda, el resultado será para él otro Vietnam, y para América Central y el Caribe el fuego, el horor, el largo infierno de una batalla librada con armas desiguales pero con la misma decisión inquebrantable que alzó y alzará siempre David contra Goliath.

Pero éstas no son cosas que necesitamos explicar a los norteamericanos aquí presentes; si no las comprendieran tan bien como nosotros, estoy seguro de que no habrían venido a este encuentro. Y sin embargo, es obvio que esa situación pesará en todos los momentos de nuestro diálogo y que todos tenemos el deber de hacerle frente y responder a ella con las armas que nos han sido dadas. Si esas armas son el pensamiento libre, la palabra que de él emana, y la escritura que la refleja, su eficacia no está tanto en ellas mismas como en su utilización práctica, quiero decir, en el hecho de darlas a conocer fuera de este encuentro, que como todos los encuentros tiene las limitaciones de un campo cerrado. Si cada uno de nosotros de vuelta a su órbita pública y privada, a su ciudad, a su universidad, a su próximo artículo o a su próximo libro, se vuelve el portavoz de algo de lo que se haya tratado aquí, nuestra reunión tendrá eso que los escolásticos llamaron, creo, el Logos Espermático, la razón y el pensamiento dispersando su semilla lo más lejos posible para hacerla fructificar en la conciencia de los pueblos. Y con este deseo y con esta esperanza, tengo el infinito placer de dejar atrás la inauguración de nuestro encuentro, y buscar alguna butaca desde la cual mi placer será todavía más infinito cuando les escuche hablar a ustedes. Muchas gracias.

Hace unos años descubrí ingenuamente algo que hubiera debido saber desde mucho antes, o sea que la mayoría de lo que se hace en el extranjero para favorecer la causa de la libertad de los pueblos latinoamericanos oprimidos no llega jamás a los oídos de esos pueblos; barreras brutales o sutiles aíslan a los argentinos, a los chilenos y a los uruguayos, *inter alia,* de todo contacto profundo con quienes procuran crear una alianza de hombres libres contra la interminable pesadilla de las dictaduras y del imperialismo.

De ese descubrimiento y esa frustración nació un texto que, presentado como una tira cómica (*Fantomas contra los vampiros multinacionales,* México, 1975), buscó llevar a los niveles más populares el conocimiento de lo que el Tribunal Bertrand Russell II había cumplido en favor de la causa latinoamericana. Y si nunca me hice ilusiones excesivas sobre el alcance de la mera palabra en este terreno, sé que ese librito, como tantos otros, cumplió su cometido y me alentó a multiplicar los esfuerzos para superar las censuras, las deformaciones y el muro de silencio que tanto nos aísla en el plano continental. Por eso, aprovechando una reunión que acaba de celebrarse en Bolonia para constituir el llamado Tribunal de los Pueblos, órgano que prolongará la acción del Tribunal Russell en un plano más amplio, presenté la comunicación que sigue y cuyo texto no necesita otros comentarios. Sé que un discurso público es pesado y hasta aburrido en su forma escrita, pero lo entrego aquí tal como lo leí en Bolonia, porque quisiera que cada lector esté de alguna manera presente en esa reunión, salte las fronteras negativas en que se busca encerrarlo, y sepa de la existencia del Tribunal de los Pueblos. El texto es precisamente un llamamiento a esa arma de lucha mental y moral que tanto puede ayudarnos a estar más juntos en estos años aciagos que vivimos; si algo le pido al lector es que haga con esas páginas lo mismo que yo, que las envíe en la medida de sus posibilidades al interior de los países donde las puertas están cerradas. La imaginación ayuda siempre a encontrar caminos, y los sellos de correo se venden en todas partes.

Esta reunión, como todas las reuniones que se han llevado a cabo a lo largo de la historia con la intención de que los pueblos den un paso adelante en su evolución y su destino, se cumple bajo el signo de la paradoja. Una paradoja cruel y evidente, la de que los pueblos, como tales, no se enterarán de la reunión ni de sus conclusiones. Hablo concretamente de los pueblos de América Latina, para quienes la enorme mayoría de las declaraciones y los trabajos sobre los derechos humanos, y más recientemente la Declaración sobre los Derechos de los Pueblos aprobada en Argel hace tres años, son prácticamente letra muerta, y muerta por la peor de las razones, la del desconocimiento.

Puedo afirmarlo en la medida en que después de participar durante varios años en las deliberaciones y las sentencias del Tribunal Bertrand Russell II, me fue dado verificar personalmente el muro de silencio levantado en casi todos nuestros países y la ignorancia de sus pueblos sobre la acción del Tribunal. Y si empiezo por hacer esta afirmación que puede parecer pesimista, lo hago precisamente porque creo en la necesidad de continuar y perfeccionar todo tipo de asambleas internacionales hasta que llegue el día en que ese muro de silencio caiga bajo el peso de la verdad, de la razón y del amor.

Es evidente que nuestra reunión no está destinada directamente al conocimiento de cada uno de los individuos que constituyen un pueblo; una vez más la inevitable estructura de la pirámide social debe operar poco a poco el lento trabajo de ósmosis, de transmisión, de convicción que termina por hacer llegar a la mayoría las ideas y las acciones que emanan de espíritus y de grupos situados en posiciones más favorables desde el punto de vista del pensamiento e incluso de la acción. Pero tengo la suficiente experiencia para no dejarme engañar por la resonancia inmediata que reina dentro de las cuatro paredes de cualquier asamblea, y que lleva a muchos a imaginar ingenuamente que esa resonancia, favorecida por los medios de información y las urgentes necesidades de los pueblos, repercutirá más allá de las fronteras nacionales. En la mayoría de las naciones latinoamericanas, esas fronteras están herméticamente cerradas o, lo que es peor, disponen de la diabólica posibilidad de transformar los ecos en su contrario y mostrar nuestra acción como el producto de una tentativa de engaño y de subversión.

Así, cada sentencia del Tribunal Russell y cada artículo de la Declaración de Argel han sido y serán presentados en esos países a través de una interpretación odiosamente tendenciosa o, lo que es todavía peor, serán cuidadosamente silenciados para evitar toda tentativa de análisis y de reflexión. Sé muy bien que lo mismo ocurrirá con los trabajos y las conclusiones de esta primera reunión del Tribunal de los Pueblos, y no me hago la menor ilusión sobre las repercusiones inmediatas que pueden tener en el ámbito latinoamericano. Frente a todo eso, si nuestros esfuerzos han de traducirse positivamente en un futuro no demasiado lejano, estoy convencido de que es preciso llevarlos a cabo dentro de una doble perspectiva. Por una parte es imprescindible cumplirlos a pesar de este panorama desoladoramente negativo, pero al mismo tiempo no es posible limitarse a su mero enunciado el último día de nuestros debates, sino que es necesario continuar nuestra acción no sólo como Tribunal de los Pueblos sino desde las posibilidades y los ángulos más variados para situarla en una órbita que termine por rebasar los muros del silencio, las fronteras de la opresión y la alienación, y que llegue finalmente a los oídos y a la conciencia de los pueblos que son sus destinatarios naturales. Sólo así tendrá eficacia nuestra defensa de esos pueblos frente a la violación de sus derechos, puesto que sólo así los pueblos defendidos sabrán por qué se los defiende, por qué existe este Tribunal, por qué hay que apoyarlo cuando reciban a su vez su apoyo.

Repito mi afirmación: lo que estoy diciendo ahora, lo que cualquiera de nosotros dirá aquí, no será escuchado en países como la Argentina, Chile, Uruguay, Paraguay, Brasil, Nicaragua, El Salvador, y la lista no se detiene ahí. En cada uno de esos países hay un pueblo sometido diariamente a un lavado de cerebros basado en la técnica más moderna del imperialismo, que busca y muchas veces logra una deformación sistemática de los valores morales e históricos más esenciales. En este mismo momento muchos de esos pueblos están recibiendo una propaganda y un adoctrinamiento destinados a convencerlos de que no solamente son pueblos soberanos sino que pueden y deben prescindir de todo punto de vista proveniente del exterior; para enormes multitudes así engañadas y así condicionadas, instrumentos tales como la Declaración proclamada en Argel (suponiendo que la conozcan) significan automáticamente una intromisión inadmisible de elementos extranjeros en los intereses nacionales, y lo mismo puede decirse de la constitución de este Tribunal de los Pueblos aquí en Bolonia. Precisamente por eso insisto en la necesidad imperiosa de trabajar dentro de la doble perspectiva a la que aludí antes; si los juristas capaces de elaborar instrumentos de denuncia y de defensa frente a las violaciones de los derechos de los pueblos han de trabajar al margen de toda preocupación por los ecos que esos trabajos despierten o no en los pueblos interesados, nosotros, los participantes no juristas, tenemos la obligación de recoger el fruto de esos trabajos y comprometernos cada uno dentro de nuestras especialidades y posibilidades a proyectarlos por todos los medios a fin de que su contenido alcance una conciencia cada vez mayor y más clara en el ámbito de los pueblos a quienes está destinado. No es una frivolidad si digo que en muchas ocasiones un poema o las palabras de una canción, una película o una novela, un cuadro o un relato, una pieza de teatro o una escultura han llevado y llevan hasta el pueblo la noción y el sentimiento de muchos de los derechos que los especialistas expresan y articulan en su forma jurídica; no es una frivolidad que alguien como yo, un mero inventor de ficciones, siga decidido a participar en este tipo de reuniones y diga lo que está diciendo. Porque la conciencia de los derechos de los pueblos puede y debe entrar en ellos por muchas vías que no son necesariamente las vías jurídicas que escapan a la comprensión inmediata de las gentes, cuando no son silenciadas o deformadas por los regímenes que explotan y alienan a los pueblos; esa conciencia puede llegar a través de caminos que nada tienen que ver con la lógica ni con el texto de las declaraciones fundamentales; puede llegar por las vías de la belleza, de la poesía, del humor, de la ironía, de la sátira, de la caricatura, de la imagen, del sonido, de la broma, del grito dramático, del dibujo, del gesto, de todo lo que toca directamente la sensibilidad popular y abre admirablemente paso al contenido lógico, moral e histórico de los enunciados formales.

En este camino lleno de paradojas no hay que tener miedo de salirse de las huellas trilladas, porque precisamente en esa ruptura de las formas tradicionales reside nuestra única posibilidad de cumplir eficazmente lo que se ha propuesto el Tribunal de los Pueblos. Hay que partir de la base de que la acción del Tribunal está destinada a la defensa de pueblos que no solamente carecen de muchos de los derechos enunciados en la Declaración de Argel sino que están compuestos en su inmensa mayoría por individuos que ignoran la más simple formulación de esos derechos, y por lo tanto no pueden cumplir la primera y más elemental operación de protesta y de reivindicación que es siempre una operación mental, una afirmación o una negación coherentes frente a la injusticia, la expoliación y el sometimiento.

Enormes masas de hombres latinoamericanos en estado de analfabetismo total o parcial pueblan nuestras llanuras y nuestras montañas a lo largo de todo el continente, y por ahora no existe la menor posibilidad de hacerles llegar ni siquiera los rudimentos de lo que quisiéramos hacer por ellos. Es evidente que eso no impide, como no lo ha impedido nunca a lo largo de la historia de las ideas progresistas de la humanidad, que los especialistas en la materia sienten las bases morales y jurídicas para la defensa de los derechos de cualquier pueblo del mundo; pero también es evidente que la actitud obligadamente paternalista de los pensadores del pasado, legisladores, juristas o políticos, tiene que ser superada en la época actual, y que la acción de este Tribunal de los Pueblos sólo tendrá eficacia si sus pronunciamientos emanan desde lo alto de la pirámide social como un eco, una respuesta y una justificación frente a los deseos y las esperanzas latentes y perceptibles de los pueblos; pero esa dialéctica entre el balbuceo y la palabra, entre el deseo de derecho y el derecho como norma, exige una incesante y cada vez mayor toma de contacto entre los pueblos y sus intérpretes. Las convulsiones de raíz popular que ha presenciado y sigue presenciando el siglo veinte muestran sobradamente que no es posible seguir pensando y procediendo a base de una supuesta delegación de poderes intelectuales y morales, y que justo con el pensamiento rector y las tribunas desde donde se lo da a conocer, como es nuestro caso en estos momentos, es preciso buscar por todos los medios una comunicación más directa, más amplia, y yo diría más visceral con el objeto de nuestras preocupaciones, con los pueblos en su integridad y en cada uno de sus componentes. Aceptemos el hecho inevitable que nos impone un continente como el latinoamericano, y obstinémonos en cumplir nuestra tarea frente a fronteras cerradas y tergiversaciones de toda naturaleza; pero a la vez, *hic et nunc,* exploremos todas las posibilidades que se abren en el campo de la comunicación, de los puentes mentales y psicológicos que pueden ayudarnos a llevar esta labor a la conciencia de los pueblos oprimidos. La ciencia, el conocimiento y el talento de los juristas está aquí al servicio de una noble causa; sólo falta un detonador que proyecte ese pensamiento y lo vuelva semilla cayendo en lejanísimas tierras, germinando por fin en frutos de libertad, de conciencia democrática, de rebelión contra la injusticia y el sometimiento. Ese detonador está también aquí, entre nosotros, pero hay que arrancarlo de las rutinas y los prejuicios académicos, hay que convertirlo en algo vivo y dinámico; ese detonador es la imaginación de cada uno, la posibilidad que tenemos de servirnos de los medios más variados e incluso más inesperados para convertir cada texto jurídico en un pedazo de vida, cada declaración formal en un sentimiento dinámico, en una vivencia incontenible. Necesitamos llevar hasta sus límites más extremos las posibilidades de la imaginación en todos los campos, porque si nos quedamos en la esfera de las conclusiones teóricas y de la práctica unilateral, si nos limitamos a confiar en su mera difusión usual a través de la prensa y de los otros medios de comunicación, la eficacia moral del Tribunal de los Pueblos se verá circunscrita y empobrecida por la falta de resonancia de sus principios y de sus propósitos, como ha ocurrido en América Latina con respecto a otros tribunales y a otras asambleas; una vez más, los enemigos internos y externos de los pueblos estarán mejor enterados de esos principios y esos propósitos que los pueblos mismos, y encontrarán la manera de neutralizar y negativizar todo lo que este Tribunal pueda llevar a cabo.

Por eso, como escritor solidario con los propósitos de esta reunión, apelo a la imaginación de todos aquellos que luchan por los derechos de los pueblos a fin de convertir el pensamiento teórico en pulsiones orgánicas, a fin de mostrar en el nivel de la respiración, de la vida y de los sentimientos cotidianos todo lo que enuncian los principios y los textos. Nunca fue más necesaria la capacidad de invención de todos los planos imaginables para suscitar en los pueblos latinoamericanos y los demás pueblos oprimidos de la Tierra una mayor conciencia de su dignidad y una más grande voluntad de afirmarla y defenderla. El artículo segundo de la Declaración de Argel dice que todo pueblo tiene derecho al respeto de su identidad nacional y cultural. Sí, pero ese respeto tiene que empezar por existir en el seno de los pueblos, y para eso es necesario que esos pueblos tengan conciencia clara de lo que es su identidad nacional, que nada tiene que ver con los nacionalismos baratos que le inyectan diariamente los regímenes que los oprimen; y de la misma manera esos pueblos tienen que llegar a una conciencia igualmente clara de lo que es su identidad cultural, contra la cual se alzan las maquinaciones del imperialismo con todas las armas de una publicidad desaforada y una educación elitista y deformante. Frente a eso, la tarea de todos los que no somos juristas consiste en transmitir y sobre todo en transmutar las nociones teóricas y normativas del derecho de los pueblos, de manera que lleguen no sólo como nociones sino como intuiciones, como certidumbres palpables, inmediatas y cotidianas en la vida de millones de mujeres y de hombres todavía perdidos en un desierto mental, en una enorme cárcel de montañas y planicies.

Difícil y lento es ese trabajo; precisamente por eso hay que intensificarlo cada día, y este Tribunal de los Pueblos que se constituye hoy en Bolonia nos da una nueva razón y un nuevo aliento para llevarlo a cabo. Inventemos puentes, inventemos caminos hacia aquellos que desde muy lejos escucharán nuestra voz y la convertirán un día en ese clamor que echará abajo las barreras que hoy los separan de la justicia, de la soberanía y de la dignidad.

UNA MAQUINACIÓN DIABÓLICA:
LAS DESAPARICIONES FORZADAS

Al agradecer la invitación que me ha hecho la Comisión Independiente sobre Cuestiones Humanitarias Internacionales para que participe en su sesión plenaria que se abre hoy en Nueva York, quiero dejar constancia de que me ha sido formulada en mi calidad de escritor identificado con la causa de los pueblos latinoamericanos. No soy, y ustedes lo saben bien, un especialista en los problemas que van a tratarse en esta reunión y que la Comisión va a estudiar con la competencia y la experiencia de todos sus distinguidos miembros. He venido aquí como alguien que se consagra sobre todo a la literatura, pero ocurre que en América Latina la literatura y la historia constituyen hoy más que nunca un terreno común, y sólo aquellos escritores que no quieren asumir su responsabilidad como hombres latinoamericanos evaden la misión cada día más urgente de estar presentes como testigos y casi siempre como acusadores ante la escalada del desprecio que tantos regímenes políticos manifiestan frente a los derechos humanos más elementales.

No es a ustedes a quienes debo recordarles la Declaración Universal de Derechos Humanos proclamada hace ya tantos años por las Naciones Unidas; como yo, saben de sobra hasta qué punto esa declaración se ha vuelto letra muerta para muchos que en su día se comprometieron a respetarla y a aplicarla. Por eso, y porque un escritor responsable se dirige siempre a la conciencia y a la sensibilidad de sus lectores, lo que quiero decir aquí sobre el problema de las desapariciones forzadas en muchos de nuestros países no se refiere a los aspectos jurídicos y técnicos que tocan al derecho nacional e internacional, sino a esa realidad inmediata que concierne a las personas como tales, aludiendo concretamente a aquellas que han desaparecido sin dejar huellas y a aquellas que, unidas por lazos de parentesco o de afecto a las víctimas siguen viviendo de día en día el interminable horror de un vacío frente al cual toda palabra pierde peso y todo consuelo se vuelve irrisorio.

Pero precisamente por eso es necesario hablar de lo concreto, hablar hasta el cansancio, porque lo más monstruoso y culpable frente a esto es el silencio y el olvido. Ustedes, desde sus funciones específicas, ni callan ni olvidan; nosotros los escritores, los artistas, estamos también aquí para alentarlos en su dura misión y compartirla en todos los planos.

Quiero citar textualmente algo de lo que dije en el Coloquio sobre la desaparición forzada de personas, celebrado en París en enero y febrero de 1981, puesto que el problema está lejos de haberse solucionado y esta reunión es una nueva etapa en la búsqueda de un camino que pueda llevar a una definición más clara de las cosas y a una multiplicación de los medios capaces de ponerles fin. «Pienso —dije entonces— que todos los aquí reunidos coincidirán conmigo en que cada vez que a través de testimonios personales o de documentos tomamos contacto con la cuestión de los desaparecidos en la Argentina o en otros países latinoamericanos, el sentimiento que se manifiesta casi de inmediato es el de lo diabólico. Desde luego, vivimos en una época en la que referirse al diablo parece cada vez más ingenuo o más tonto; y sin embargo es imposible enfrentar el hecho de las desapariciones sin que algo en nosotros sienta la presencia de un elemento infrahumano, de una fuerza que parece venir de las profundidades, de esos abismos donde inevitablemente la imaginación termina por situar a todos aquellos que han desaparecido. Si las cosas parecen relativamente explicables en la superficie —los propósitos, los métodos y las consecuencias de las desapariciones—, queda sin embargo un trasfondo irreductible a toda razón, a toda justificación humana: y es entonces que el sentimiento de lo diabólico se abre paso como si por un momento hubiéramos vuelto a las vivencias medievales del bien y del mal, como si a pesar de todas nuestras defensas intelectuales lo demoníaco estuviera una vez más ahí diciéndonos: "¿Ves? Existo: ahí tienes la prueba."

»Pero lo diabólico, por desgracia, es en este caso humano, demasiado humano: quienes han orquestado una técnica para aplicarla mucho más allá de casos aislados y convertirla en una práctica de cuya multiplicación sistemática dan idea las cifras que ya todos conocemos —30.000 desaparecidos solamente en la Argentina—, saben perfectamente que ese procedimiento tiene para ellos una doble ventaja: la de eliminar a un adversario real o potencial (sin hablar de los que no lo son pero que caen en la trampa por juegos del azar, de la brutalidad o del sadismo), y a la vez injertar, mediante la más monstruosa de las cirujías, la doble presencia del miedo y de la esperanza en aquellos a quienes les toca vivir la desaparición de seres queridos. Por un lado se suprime a un antagonista virtual o real; por el otro se crean las condiciones para que los parientes o amigos de las víctimas se vean obligados en muchos casos a guardar silencio como única posibilidad de salvaguardar la vida de aquellos que su corazón se niega a admitir como muertos. Si toda muerte humana entraña una ausencia irrevocable, ¿qué decir de esta ausencia que se sigue dando como presencia abstracta, como la obstinada negación de la ausencia final? Ese círculo faltaba en el infierno dantesco, y los supuestos gobernantes de mi país, entre otros, se han encargado en estos últimos tiempos de crearlo y de poblarlo.»

Dos años han pasado desde la reunión de París donde dije esas palabras. Si la evolución histórica en la Argentina ha terminado con la monstruosa etapa de las desapariciones, al igual que las torturas y los asesinatos, otros regímenes se han encargado de continuar en América Latina una práctica que diariamente es verificada y denunciada por múltiples organizaciones nacionales e internacionales, por observadores, periodistas y testigos. Uno de sus focos más conocidos se sitúa hoy en plena América Central, en El

Salvador, donde el más reciente informe de Amnesty International habla de millares de desapariciones. Bien se ve que no necesito salir de América Latina para comprobar la permanencia de una práctica que exige de todos y de cada uno de nosotros una multiplicación de esfuerzos para difundir más y más en el seno de las comunidades libres la existencia de algo que es como un cáncer planetario, una proliferación maligna que apenas disminuida en una zona reaparece con nueva virulencia en otra. Todos los derechos humanos son igualmente legítimos, pero como lo dijera Niall MacDermot, Secretario General de la Comisión Internacional de Juristas, «las desapariciones constituyen tal vez la peor violación de los derechos humanos. Es la negación del derecho de una persona a existir, a tener una identidad. Convierte a una persona en una no-persona».

Pero las desapariciones forzadas no se limitan ni mucho menos a un mecanismo de represión dirigido a eliminar a quienes se considera como enemigos. En la Argentina, para citar el país donde esta técnica de la muerte y del miedo ha rebasado todos los límites imaginables, las desapariciones no sólo han ocurrido en el nivel de los adultos sino que se han hecho extensivas a los niños, secuestrados muchas veces al mismo tiempo que sus padres o parientes cercanos, y sobre los cuales no ha vuelto a saberse nada. Niños que van desde los recién nacidos a los que ya entraban en la edad escolar. Niños cuyo secuestro y desaparición nada justificaba como no fuera el sadismo de los raptores o un refinamiento casi inconcebible de su técnica de intimidación. Esos niños, ¿podían considerarse como subversivos, según calificaban los militares a los jóvenes y adultos desaparecidos? Esos niños, ¿eran enemigos de lo que ellos llaman patria, llenando de sucia saliva una palabra que tanto significa para los pueblos latinoamericanos? ¿Y qué ha ocurrido con esos niños, si no han muerto en su enorme mayoría? Si quedan sobrevivientes, ¿qué pueden saber hoy lo que fueron un día frente a los tráficos, ventas, adopciones y desplazamientos de que han sido víctimas? Si la desaparición de un adulto siembra el espanto y el dolor en el corazón de sus prójimos y amigos, ¿qué decir de padres y abuelos que en la Argentina siguen buscando, fotografías en mano, a esos pequeños que les fueron arrancados entre golpes, balazos e insultos? Vuelvo a pensar en Dante, vuelvo a decirme que en su atroz infierno no hay ni un solo niño; pero el de los militares argentinos responsables de las desapariciones está lleno de pequeñas sombras, de siluetas cada vez más semejantes al humo y a las lágrimas.

Y esto no es todo, por desgracia; el drama de los niños —aunque de esto se hable muy poco y haya que gritarlo a los cuatro vientos— se proyecta mucho más allá de las desapariciones mismas. A mí me ha tocado ver en países de exilio (incluso aquí, en California, hace tres años) a familias que habían huido de la Argentina y de Chile después de la muerte o la desaparición de alguno o algunos de sus miembros. Muchas de esas familias tienen niños pequeños o adolescentes, y nada puede ser más aterrador que conocer a algunos de ellos y comprobar los traumatismos físicos y psíquicos que esos episodios han dejado en ellos. Niños a quienes les llevaron a padre o hermanos entre golpes e insultos, reviven cada noche esa pesadilla que presenciaron sin poder hacer nada. Psicólogos y asistentes sociales se enfrentan hoy en muchos países con la difícil tarea de reconciliar a esas criaturas con la vida normal. Porque para ellos, después de lo que han vivido, nada puede ser normal, ni siquiera el cariño de su familia y sus maestros, ni siquiera los juegos, la paz y la seguridad. Pero, claro, frente a eso los culpables proclaman una autoamnistía, frente a eso es como si no hubiese sucedido nada. Muchos de nosotros no lo aceptaremos jamás, y ojalá que estas palabras queden en la memoria de la Comisión como una de las razones más profundas y más legítimas para llevar adelante sus trabajos en el terreno que le es propio.

Y puesto que todo eso es cierto y comprobable, un escritor como yo y como tantos otros latinoamericanos no podemos quedarnos en las generalidades, en textos o discursos que no pasan de una declaración de principios. Dada su índole específica, los documentos e informes de esta Comisión no aluden directamente a los países y a los regímenes dentro de cuya órbita tienen lugar las desapariciones forzadas de personas. Pero yo no tengo por qué callar esas referencias concretas, y ya que he mencionado a los dos países donde el drama de las desapariciones alcanzó y alcanza sus cifras más vertiginosas, quiero y debo aludir a ellos de manera todavía más concreta. En el caso de la Argentina, el gobierno militar a través de sus sucesivos representantes desde el golpe de estado del general Videla, ha sido y es responsable de la desaparición de un número calculado en 30.000 ciudadanos. El régimen ha actuado por su sola cuenta, y sólo ha renunciado a proseguir su política de exterminio físico, mental y moral de la población civil argentina después de la doble derrota que le infligieron los militares ingleses en las islas Malvinas y los civiles argentinos en las urnas electorales. Ese gobierno no ha vacilado nunca en ocupar una banca en las Naciones Unidas, cuya Declaración de Derechos Humanos ha vilipendiado abierta y cínicamente, como tampoco ha vacilado en proclamar un decreto de autoamnistía que sobrepasa de lejos todo lo imaginable en este campo. No me cabe duda de que los responsables de las desapariciones serán llevados ante la justicia por el nuevo gobierno civil argentino, aunque ello no hará salir de su horrible tiniebla a todo ese pueblo fantasmal por el cual tantos argentinos, con las Madres de la Plaza de Mayo a la cabeza, han luchado y seguirán luchando hasta que se haga la luz. El pasado es irreversible, pero reuniones como la de esta Comisión y todas las que se seguirán llevando a cabo en las tribunas libres del mundo, deberán continuar un trabajo empecinadamente dirigido hacia el futuro; no soy ingenuo como para ignorar lo que eso significa de difícil, de aleatorio y en algunos terrenos de imposible, pero no valdría la pena que estuviéramos hoy aquí si no creyéramos posible, como lo sabe esta Comisión, que hay terrenos que pueden ganarse poco a poco, que hay campos de conciencia y de responsabilidad que pueden ampliarse con creciente eficacia. El hecho de que esta Comisión, que no cita nombres de países por razones obvias, haya invitado a hablar hoy a alguien que dice en voz alta esos nombres, me parece un signo favorable, y somos muchos millares e incluso millones de latinoamericanos que agradecemos hoy por mi intermedio esta invitación.

Cité ya el caso de El Salvador, y aquí, si bien el crimen es el mismo, las desapariciones responden a la misma intención y la responsabilidad de los culpables no cambia para nada, los factores en juego son en cambio muy diferentes. El drama indescriptible que tiene por escenario a ese pequeño país centroamericano no es la obra exclusiva de su régimen interior, aunque sea él quien se encargue directamente de la ejecución de los crímenes y de la violación continua de los derechos humanos entre los cuales la desaparición forzada de personas es una de las más evidentes. En el caso de El Salvador hay un cómplice, y ese cómplice tiene por nombre los Estados Unidos de Norteamérica. Si en una primera etapa de la represión contra lo que el régimen salvadoreño llama subversión pero cuyo verdadero nombre es el alzamiento de un pueblo oprimido, saqueado y privado de sus derechos más elementales, el gobierno de ese país pretendió que luchaba para restablecer el orden y encaminar a la nación hacia senderos democráticos, esa etapa ha quedado atrás hace ya tanto tiempo que nadie en sus cabales podría seguir creyendo en una política que se ha convertido abiertamente en un genocidio. Y sin embargo, frente a eso, los Estados Unidos que se obstinan en ver los problemas latinoamericanos exclusivamente desde la perspectiva este-oeste, se han manchado las manos de sangre por interpósita persona al ayudar en todas las formas posibles al régimen salvadoreño, tratando de salvar las apariencias, utilizando el vocabulario de la ayuda técnica y la asesoría militar, pero volcando como vuelcan en Honduras y Guatemala el peso cada vez más perceptible de su potencial armado y económico. En esa tenaza que cada día se cierra más, un país como Nicaragua sufre crecientemente el peso de un bloqueo mal disimulado bajo apariencias de maniobras y desfiles navales, es atacado por bandas somocistas entrenadas y equipadas con ayuda norteamericana, y todo eso sucede mientras funcionarios de Washington, como es el caso de la señora Kirkpatrick, hablan de restablecer la «democracia» en una nación que acaba·de liberarse de más de cuarenta años de dictadura somocista abiertamente apoyada por el mismo país que ahora pretende dar lecciones políticas a los nicaragüenses. No tengo por qué insistir en cosas que toda persona honesta sabe, pero sí en que el drama de las desapariciones en El Salvador está profundamente ligado a estas tentativas de recuperación de feudos perdidos o semiperdidos. En su órbita de trabajo, a esta Comisión le corresponde estudiar los mejores medios jurídicos y diplomáticos para encontrar una salida progresiva al infierno que es hoy una gran parte de América Central, pero para que su tarea sea realmente eficaz es imprescindible que la conciencia pública sepa claramente cuáles son los telones de fondo del drama, qué fuerzas se desatan en él, y qué poco valen las declaraciones, las cartas y los principios frente a hechos tales como la invasión de Granada y los desplantes agresivos de los Estados Unidos en el Caribe y en América Central.

En su estudio sobre las personas desaparecidas presentado a la Comisión el 5 de julio de este año, la doctora Virginia Leary dice textualmente: «Actos como la tortura y las desapariciones deberían ser declaradas por la Asamblea General de las Naciones Unidas —como en el caso de la piratería— *crímenes internacionales,* lo que permitiría con respecto a ellos una jurisdicción internacional.»

Esta propuesta, excelente desde todo punto de vista, es ejemplificada por la doctora Leary al referirse, por supuesto sin nombrarlo, a un oficial de marina conocido como torturador y asesino, que pese a haber caído prisionero de los ingleses en la guerra de las Malvinas, no pudo ser interrogado en ningún momento por el gobierno inglés y mucho menos por el francés, aunque se le sabía responsable de la tortura y la desaparición de tres monjas francesas, sin hablar de su participación en incontables crímenes en su país de origen. ¿Y por qué? Porque las convenciones de Ginebra no lo permitían. Un instrumento jurídico se convertía así en protector del capitán Astiz, puesto que de él se trata como de sobra lo saben los argentinos. Así, en la medida en que algunos instrumentos internacionales de justicia y de diplomacia continúen rigiéndose por principios que con harta frecuencia sirven más a los culpables que a las víctimas, seguiremos en esta pesadilla de la que sólo despertamos para caer de inmediato en otra peor. ¿Qué alcance real puede tener un grupo de trabajo como el de las Naciones Unidas que se ocupa de las desapariciones forzadas, si en el curso de sus encuestas no puede ir mucho más allá de los límites que le fijan los gobiernos de los países donde trata de cumplir su tarea? ¿Qué valor real tienen las declaraciones de tantos representantes oficiales en las diferentes organizaciones internacionales, cuando la mentira y el disimulo están presentes en cada una de sus palabras, sus desmentidos y sus afirmaciones?

Si la proposición de la doctora Leary en el sentido de considerar las desapariciones forzadas como crímenes internacionales puede parecer poco realista o inaplicable en la práctica, me limitaré a recordar que en el caso de los delincuentes y criminales comunes existe un nivel suprapolicial que, con el acuerdo de todas o casi todas las regiones del mundo tiene por objeto detener a las personas en cuestión allí donde hayan podido refugiarse, y que su extradición es tan posible como frecuente. Frente a eso, ¿cómo vacilar en el caso de los culpables de crímenes, torturas y desapariciones en la esfera política, cómo darles una ventaja que no tienen los otros? Más allá de tantos principios, buenas intenciones y palabras tribunicias, la calificación de las desapariciones como crímenes internacionales es una posibilidad concreta y factible; los estados que se negaran a aceptarla mostrarían de la manera más flagrante su complicidad con los peores criminales de la tierra, los criminales de los derechos humanos, los criminales de la humanidad. Ojalá esta Comisión avance en el estudio de este aspecto esencial de un problema que puede y debe encontrar una respuesta categórica y efectiva para que los derechos humanos en ese terreno dejen de ser letra muerta como lo son casi siempre en estos tiempos.

No quiero abusar del tiempo frente al cargado orden del día que va a tratar la Comisión. Quisiera simplemente despedirme de ella —reiterándole toda mi solidaridad y mi confianza, que es también la de millones de latinoamericanos— como un escritor que cree en la dignidad esencial del hombre y de los pueblos frente a todos los escepticismos de nuestra época, y que está convencido de que un día se verá cómo nuestros esfuerzos no han sido inútiles. En una época de odios, de explotación y de infamia en tantos países latinoamericanos, no quiero bajar de esta tribuna sin pronunciar el nombre de tres de los más altos símbolos de esa fe y esa confianza en la verdad y la dignidad: el nombre de Monseñor Arnulfo Romero, el nombre de Ernesto Che Guevara, y el nombre de Salvador Allende.
Muchas gracias.

Argentina: años de alambradas culturales es el libro que Julio Cortázar estaba armando en la víspera de su muerte. A menudo le oí referirse a esta compilación de textos diversos —artículos de prensa, conferencias, ponencias, testimonios—, y varias veces me expresó su intención de reunirlos en volumen. Se proponía así posibilitar a los lectores argentinos el acceso a una información escamoteada o el contacto con actividades y manifestaciones censuradas por la represión castrense. Quería contribuir, como lo hizo con su obra literaria, a que la Argentina, liberada del régimen de oprobio, volviese a abrir de par en par las puertas a los vientos del mundo.

Me toca ahora, por voluntad de su autor, la tarea de editar este libro póstumo. Julio nos lo dejó casi listo. Seleccionó los textos que quería incluir, redactó un prólogo justificativo, tituló el conjunto y las dos secciones que lo componen. Mi labor de albacea se redujo a la revisión general, al ajuste definitivo de la selección, a la indicación de procedencia de los escritos, al titulado de algunos de ellos, a la confección del índice.

Puede que esta información silenciada durante la década de las dictaduras militares en Argentina, tenga hoy adecuada difusión. Sea cual fuere el conocimiento que el lector posea de los hechos consignados por este libro, cualquiera sea la adhesión que sus ideas suscitan, queda siempre en pie la imagen que sus palabras proyectan: la de un escritor responsable de sus funciones comunitarias que denuncia la programada atrocidad de regímenes de terror, la de una personalidad moral entregada, por razones de humanidad, por afán de justicia, a la militancia en favor de los reprimidos y oprimidos de nuestra América.

Saúl Yurkievich

Varios de los textos que aquí se recogen fueron previamente publicados. «Negación del olvido» (enero de 1981), «Argentina: en torno a una conferencia de prensa», «Los estrategas del miedo», «Absoluciones y condenas» y «De derechos y de hechos» fueron difundidos, a través de varios periódicos, por la agencia española de noticias EFE. «Nuevo elogio de la locura» apareció en el periódico *La República,* editado en París el 19 de febrero de 1982; «América Latina: exilio y literatura» es, en su origen, una ponencia leída en el coloquio sobre «Literatura Latinoamericana de hoy» que tuvo lugar en el Centro Internacional de Cerisyla-Salle, del 29 de junio al 9 de julio de 1978; está incluida, en versión francesa, en el volumen editado por Jaques Leenhardt: *Littérature latino-américaine d'aujourd'hui,* Paris, Unión Générale d'Editions, col. 10/18, 1980. «Conclusión para un informe» clausura el volumen publicado por la Asociación Internacional de Defensa de los Artistas víctimas de la represión en el mundo (AIDA): *Argentina: une culture interdite,* Paris, Maspero, 1981. «Un pueblo llamado Onetti» apareció en *Cuadernos para el Diálogo,* Madrid, mayo de 1974. «Mensaje para "Horizonte" 82» fue leído durante el desarrollo de esta conferencia, en la sesión del 6 de mayo de 1982 consagrada al exilio en el Cono Sur. «El exilio combatiente» fue escrito para la Primera Conferencia Internacional sobre el Exilio y la Solidaridad Latinoamericana que se llevó a cabo en Caracas, en octubre de 1979. «Lo bueno y lo mejor» es la respuesta de Julio Cortázar a un cuestionario sobre la guerra de las Malvinas propuesto por el diario *Il Globo*. «Las palabras violadas» fue leído el 26 de marzo de 1981 en la reunión que la Comisión Argentina de Derechos Humanos (CADDHU) organizó en Madrid. «Literatura e identidad» se destinó a la Conferencia Mundial sobre Políticas Culturales convocada por la UNESCO en México, en diciembre de 1982. «América latina y sus escritores» fue incluido en el catálogo de la exposición «Expression libre de l'art latinoaméricain» organizada por Hipólito Solari Irigoyen (Hôtel de Ville de Bondy, 10 al 17 de marzo de 1979). «¡Qué poco revolucionario es el lenguaje de los revolucionarios!» fue escrito para el Encuentro de los Intelectuales por la Soberanía de los Pueblos de Nuestra América que tuvo lugar en la Casa de las Américas, en La Habana en septiembre de 1981. «El lector y el escritor bajo las dictaduras» fue enviado al Congreso del PEN Club realizado en Estocolmo en junio de 1978. «Sobre la función del intelectual» data de agosto de 1983. «El escritor y su quehacer en América Latina» es la ponencia escrita por Julio Cortázar para el Seminario sobre Política Cultural y Liberación Democrática en América Latina organizado por la Universidad Menéndez y Pelayo, en Sitges en septiembre de 1982. «La literatura latinoamericana de nuestro tiempo» es una conferencia dictada en la Universidad de Berkeley en octubre de 1980. «Para comenzar a dialogar» fue concebido como ponencia inaugural del Diálogo de las Américas, reunión de intelectuales norteamericanos y latinoamericanos que tuvo lugar en la ciudad de México del 9 al 14 de septiembre de 1982; fue promovida por el Comité de Intelectuales por la Soberanía de Nuestros Pueblos y la Paz, que Julio Cortázar integraba como miembro fundador. «Incitación a inventar puentes» fue una ponencia destinada a la reunión de Bolonia, en mayo de 1979, del Tribunal de los Pueblos, organismo que reemplaza al Tribunal Russell II; Cortázar formó parte de ambos foros. «Una maquinación diabólica: las desapariciones forzadas» fue leído en las Naciones Unidas, en Nueva York, ante la Comisión Independiente sobre Cuestiones Humanitarias Internacionales, en noviembre de 1983.

S. Y.

ÍNDICE

Esta edición de
ARGENTINA:
AÑOS DE ALAMBRADAS CULTURALES
compuesta en tipos
Garamond de 8 y 10 puntos
por Tecnitype,
se terminó de imprimir el 5 de septiembre de 1984
en los talleres de Romanyà / Valls,
Verdaguer, 1, Capellades (Barcelona)